Fim de tarde com leões

Paula Fontenelle
e P. W. Guzman

Fim de tarde com leões

ROMANCE

GERAÇÃO

Copyright © 2012 by Paula Fontenelle e P. W. Guzman

1ª edição — Outubro de 2012

Grafia atualizada segundo o Acordo Ortográfico da Língua Portuguesa
de 1990, que entrou em vigor no Brasil em 2009

Editor e Publisher
Luiz Fernando Emediato (LICENCIADO)

Diretora Editorial
Fernanda Emediato

Produtor Editorial
Paulo Schmidt

Assistente Editorial
Erika Neves

Capa, Projeto Gráfico e Diagramação
Alan Maia

Revisão
Josias A. Andrade

DADOS INTERNACIONAIS DE CATALOGAÇÃO NA PUBLICAÇÃO (CIP)
(Câmara Brasileira do Livro, SP, Brasil)

Fontenelle, Paula
  Fim de tarde com leões / Paula Fontenelle. --
1. ed. -- São Paulo : Geração Editorial, 2012.

  ISBN 978-85-8130-070-2

  1. Romance epistolar brasileiro I. Título.

12-07829   CDD: 869.93

Índices para catálogo sistemático

1. Romances epistolares : Literatura brasileira   869.93

GERAÇÃO EDITORIAL

Rua Gomes Freire, 225/229 – Lapa
CEP: 05075-010 – São Paulo – SP
Telefax.: (+ 55 11) 3256-4444
Email: geracaoeditorial@geracaoeditorial.com.br
www.geracaoeditorial.com.br
twitter: @geracaobooks

2012
Impresso no Brasil
Printed in Brazil

*A pedido de Clarinha, dedico
este livro ao seu irmão, Filipe.*

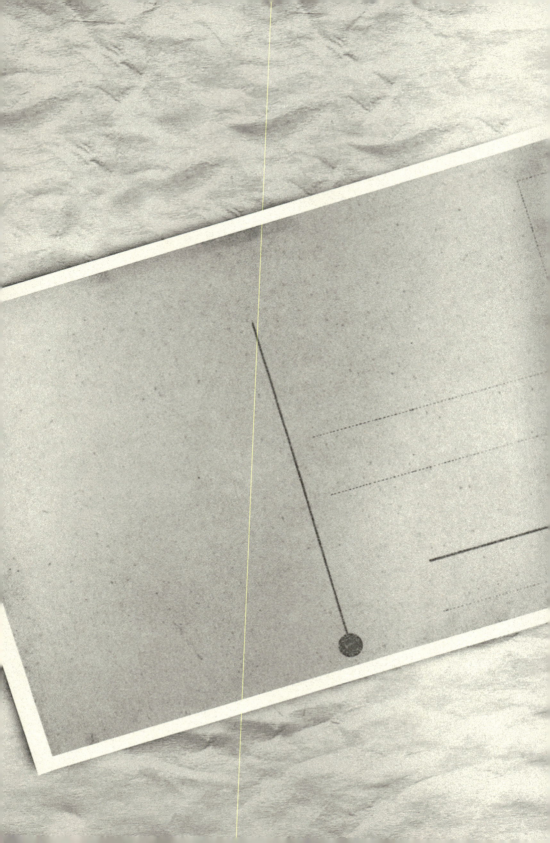

Agradecimento

$\mathcal{E}$screver um livro em segredo é tarefa dura. Em vários momentos quis compartilhar as cartas que eu e Guzman trocamos durante doze meses, afinal, elas fizeram parte intensa do meu dia a dia e muitas mexeram comigo. Esse talvez tenha sido meu maior desafio ao longo desse período: não falar.

Mas isso de forma alguma significa que não tive apoio, até porque, apoio se dá de outras maneiras que não só por meio das palavras: é intangível, é a atenção do outro, o carinho, o colo, o olhar de cumplicidade que a gente não encontra facilmente.

Eu tive essa presença, e é ele a quem agradeço.

Obrigada, Hélio, pela ternura, pela dedicação a nós dois, pelas inúmeras vezes que ouvi de você "eu te apoio, vá em frente", pelo que construímos até agora, e pela certeza de que curtiria cada capítulo deste livro, caso os tivesse lido durante sua construção.

Prefácio

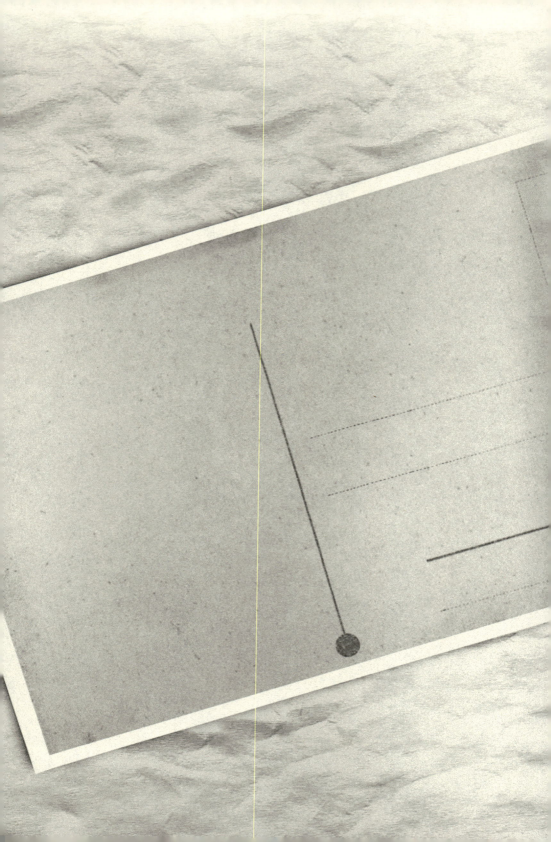

Quem é P.W. Guzman? Esta é uma pergunta que ouvirei bastante daqui para frente e escolhi este espaço, e apenas este, para respondê-la. Esse nome é, na verdade, um pseudônimo escolhido por ele, seu nome real será mantido em segredo a seu pedido.

Guzman é um homem de difícil acesso: reservado por natureza, recolhido e de poucos amigos por escolha. É que ele acha as pessoas um pouco chatas e repetitivas, principalmente quando estão em ambientes sociais, por isso, evita grandes festas e encontros a ferro e fogo.

Alguns o acham antipático. E o é. Já presenciei algumas vezes ele dar respostas curtas a perguntas pouco atraentes, deixando o interlocutor sem ter o que dizer. Ele é bom no esfriamento de diálogos.

O ápice do seu desprezo por conversa desinteressante se dá na forma da ironia. Nisso Guzman é mestre. Na maioria das vezes, a pessoa nem nota que ele a rejeitou, acha até que está interessado em seus argumentos, até que ele cansa do teatro e vai embora.

Mas esse é apenas um pedaço do Guzman que conheço. E bem pequeno. O outro é grandioso, sensível, e já me comoveu inúmeras vezes. Ele é capaz de grandes gestos, seja com o olhar ou com uma ajuda nada reverberada. Até aqui ele se reserva, como se pudesse alcançar melhor o outro à distância e, de preferência, em silêncio.

Na verdade, Guzman pouco precisa falar. É daquelas pessoas que ocupam espaço na vida da gente sem nos invadir, mas que, como uma sombra iluminada, está ao nosso lado e nos acompanha para sempre. Já o enxerguei em livros maravilhosos; já ri com Guzman sozinha, no outro lado do mundo. Não importa, ele estava lá comigo, gargalhando timidamente, cúmplice.

Uma de suas características marcantes é o senso de humor aguçado e sagaz. Serve não só para divertir grupos de pessoas a quem quer bem, como para esconder certo desconforto provocado por sentimentos que reluta em expressar. Típica muleta de quem já perdeu o chão tateando emoções profundas e verdadeiras.

Prefere se apoiar no riso para não cair; sim, prefere o espaço das certezas. Por isso, a reclusão em lugar seguro e o afastamento convicto de tudo que se apresenta como social.

Para mim, o Guzman cara-fechada é delicado, o chato é genuíno, o pouco afeito a pessoas é referência do que é humano em toda sua beleza. E este livro é mais uma demonstração de sua generosidade pouco compartilhada.

Em 2007, tive a ideia de escrever uma história a quatro mãos. Até aí, nada de novo, afinal, há inúmeros livros produzidos assim, mas não era só isso. Tinha que ser às escuras para os dois autores. Eu escreveria a primeira carta, construindo um início cheio de possibilidades de narrativa e continuidade. Ele — sim, precisava ser um homem —, escreveria a segunda, e assim por diante.

Nunca saberíamos o que seria dito pelo outro, desde a construção dos personagens até os acontecimentos mais importantes, inclusive quem colocaria o ponto final. Essa seria a inovação: nada de roteiros ou enredos preestabelecidos, apenas surpresas e criatividade. Tínhamos apenas um compromisso imutável: cumprir um ano de cartas, no mínimo duas por pessoa, semanalmente.

A vontade de escrever este livro era grande, mas não queria fazê-lo com qualquer um, precisava ser alguém em quem confiasse inteiramente e que tivesse um conteúdo pessoal que nos permitisse escrever uma história densa, comovente, e ao mesmo tempo, divertida e de valor.

Foi só em 2009 que encontrei Guzman e o convidei para ser o coautor de *Fim de Tarde com Leões*, que na época não tinha título, aliás, não tinha nada, apenas meu desejo por algo que nem sabia ser possível.

A conversa foi rápida. Expliquei a ideia e seus olhos brilharam imediatamente. "Vamos fazer", disse, e me abraçou como uma criança que descobre um novo esconderijo e não vê a hora de desbravá-lo. Essa foi a última vez que nos vimos, até a finalização do livro.

Como as cartas seriam enviadas por *e-mail*, os encontros eram desnecessários, talvez nem tivessem mesmo ocorrido porque sempre fomos de pouco contato. Nossa relação é discreta, como ele.

Pouco sei do que se passou com Guzman ao longo desse tempo, apenas os personagens Pedro e Lúcia se falaram durante o período em que produzimos este livro. Soube por amigos que viajou o mundo, ninguém sabia dizer ao certo onde estava, apenas que não tinha deixado endereço. Ele faz isso de vez em quando.

Durante um ano recebi suas cartas eletrônicas, jamais falhou ao nosso acordo. Algumas eram tão reais que pareciam falar com Paula e não com a Lúcia da história. Para mim, eram momentos preciosos da semana; esperava ansiosamente por cada uma delas e sempre as lia em lugar tranquilo, sozinha, sentindo cada palavra.

Depois pensava, com o cuidado de quem dá forma a uma escultura, e respondia. Ri muito com os textos do Guzman, gargalhei até. E chorei. Houve algumas que me irritaram profundamente: "como ele pôde fazer isso comigo? E agora?", pensava, para depois lembrar novamente que eu não era Lúcia, e sim, Paula.

Foram meses de surpresas e sobressaltos, mas acima de tudo, de prazer e paixão por uma história que moldamos em silêncio.

No final do prazo, combinamos o segundo encontro e foi durante mais um breve diálogo que veio sua maior demonstração de desapego e integridade. Ao me entregar as originais de todas as suas cartas, disse: "quero assinar com pseudônimo, não suportaria a indiscrição das pessoas e uma possível invasão a minha vida. Além do mais, este livro sempre foi seu. Aceitei porque foi você quem pediu, escrevi porque era para você. Aceite-o como um presente".

Na despedida, quase muda, prometi que não divulgaria seu nome e que respeitaria a privacidade que tanto valoriza.

Essa é minha dívida de lealdade com o Guzman que não é Guzman, e que merece permanecer incógnito. Tudo que precisam saber dele já foi dito aqui da maneira mais sincera que pude, mesmo sabendo que ele nunca caberia em breves palavras.

Fim de tarde com leões

Querido,

Nem sei se posso continuar a te chamar assim. Nossa despedida foi tão brusca, tanto ressentimento seu, que precisou coragem para eu retomar o contato. É que não ando bem, e, por mais que recorra aos amigos (que bem sabes, são poucos), sinto um vazio na conversa, é como se as palavras viessem com uma carga tão alta de desconhecimento, que volto pior desses encontros evasivos. A verdade é que ninguém me conhece como você: minha busca idiota pelo que está embaixo do meu nariz, essa inquietude que me impede de enxergar o óbvio (e que você sempre enxerga), meu cheiro, minhas dores, minhas palavras disléxicas no sentido.

Até hoje, nossa ruptura é confusa para mim, até entendo sua raiva, mas é difícil compreender o porquê de sua acusação absurda sobre eu ter provocado a perda de nosso filho. Eu? Por mais que estivesse cega naquele momento, jamais faria uma coisa dessas. Foram dias tortuosos, concordo, nós estávamos perturbados, afinal, eram tantas mudanças acontecendo ao mesmo tempo, e eu falhei justamente no que para você era inegociável. Sabe o que é mais triste? É que essa palavra é a grande marca que tenho de você, logo você, que é tão flexível, que sempre teve paciência com meu jeito meio mandona de ser, aliás, a única pessoa que já conseguiu rir disso. Meu egocentrismo sempre me afastou das pessoas, só não de você.

Talvez seja por isso que agora me sinto tão só. Vivo rodeada por pessoas, mas elas não passam de fantasmas ocos e transparentes, vagando por esse mundo fátil de minha profissão. Tanta beleza, tantas cores e sorrisos ensaiados, é isso que vejo, e você me faz falta. Lembra-se de quando a gente frequentava as festas "da corte e brindávamos aos piores vestidos, às maquiagens exageradas e aos vestidos mais desconfortáveis? Era uma boa desculpa para beber champanhe, não era? A gente se divertia tanto.

Acho que estou muito doente, mas continuo morrendo de medo de médico e não tenho mais você para me levar obrigada e sentar comigo na sala de espera. Meus pensamentos estão confusos, sinto-me exausta o tempo todo, tenho dores nas costas e não consigo dormir bem há dias. Semana passada, minha vista falhou, talvez de cansaço pela insônia, nem fui ao trabalho (consegue imaginar isso?). Mas não confio em médicos, talvez pelo que aconteceu com minha mãe, sei lá.

Queria saber por onde você anda, se teve coragem de investir no seu grande sonho. Não sei se esse endereço continua existindo, mas é o que tenho por agora. Quem sabe você responde.

Saudades de nós,

Eu.

P.S.: Ricardo se foi. Talvez nem devesse citá-lo, mas não consegui mais olhar para ele depois que você desapareceu.

Sim, minha querida.

Recebi sua carta (não sem surpresa), e mal pude passar a vista sobre as palavras.

Havia uma, ausente, que se destacava — **culpa** —, esta espécie de marca indelével que se ampliava sobre suas frases, uma nódoa que hoje parece ser parte de uma vida que a mim insiste atribuir, pois que, eu mesmo, recuso e refuto imputações culposas ou dolosas de quaisquer tipos, cores e nações. Tenho vivido este exílio compulsório, que muitos chamam de fuga, por desconhecimento, maldade ou interesse. Para não dizer cobiça pura e simples.

Antes de tudo e depois do que disse acima, devo lhe dizer que foi muita sorte ter recebido sua carta (que quero imaginar inviolada), capturada no endereço pela pessoa que cuida discretamente dos resíduos de minha vida por lá.

Você estranhou, certamente, que esta resposta lhe tenha chegado por um portador anônimo que pediu que a lesse enquanto esperava. Não se assuste. É coisa puramente prática.

Caso queira, de novo, me escrever, o que desejo, de coração, que aconteça, use os envelopes endereçados que o portador fornecerá. São envelopes comerciais e chegarão a mim de forma segura. Lamento que seja assim, não é minha **culpa**. Espero que, um dia, as coisas voltem aos eixos, ou coisa que valha.

Permita-me não levar a sério suas queixas de doença. Acompanhei vários destes surtos até acostumar-me ao fato de que você precisa desse estado de perturbação para manter a atenção no corpo enquanto sua alma inquieta vai à deriva. Quanto a sua mãe, ela morreu por teimosia e estupidez ao confiar num médico de família velho, desatualizado e indolente.

Não vou responder pontualmente, pelo menos agora, todas as questões e momentos de sua carta. Ainda estou vivendo o ponto de exclamação da chegada dela. Em todo caso, porém, regozijo-me pela saída de cena do Ricardo, aquele ganso imbecil que você acreditou ser um cisne.

Viajo muito a negócios dos outros e, enfim... meus também, mas, se houver cartas suas, as receberei, não se preocupe. Use os envelopes prontos e mais nada. Isto é imperativo.

Beijo,

Eu também.

Fim de tarde com leões

Quanta mistura de sentimentos, você continua o mesmo: mantém a distância — que agora me parece maior — enquanto revela, sem querer, o afeto que insiste em esconder de si mesmo. Se nas minhas palavras você destacou a culpa, nas suas ressalto a solidão. "Exílio compulsório?" Por acaso agora se tornou fugitivo? Duvido, pelo menos dos outros.

Tudo bem, se quer um pouco de jogo em nossa troca, que assim o seja, afinal, bem sabe que eu gosto de um pouco de mistério, mesmo tendo certeza de que um dia você cederá e nos encontraremos sem portadores anônimos e sem ridículos envelopes comerciais. Se por agora essa é a única forma de tocá-lo, aceito mais esse capricho seu. Talvez até o mereça. E, sim, me assustou o tal portador, achei que trazia uma notícia de morte.

Aliás, tenho tido um convívio intenso com a morte, talvez esse seja o gatilho de minhas doenças atuais. A Clarice se foi, não antes de passar meses tentando todo método alternativo que existe para se curar. Em vão. Eu estava com ela no dia em que teve o diagnóstico de câncer, assim como todas as mulheres em sua família. Mas você bem sabe como ela era: consultou seu mestre e partiu. Só tive notícias meses depois, quando já estava numa cama de hospital. Ela me chamou e dormi naquela espelunca pública, por uma semana, até que Clarice morreu. Faz seis meses. Seu quarto ainda está vazio, não tive como preenchê-lo ainda. Desculpe-me por tantas más notícias, mas é que algumas nuvens me visitaram nesses anos de nosso silêncio.

Ah! Mark tem um filho de três anos, uma graça! Resolveu criá-lo sozinho — bem a cara dele —, e já ensina ao pirralho alguns passos, jura que o menino nasceu com talento. Tudo que vejo é um quase bebê mal se equilibrando ao som de Frank Sinatra, uma lástima essa transferência de desejos que fazemos às crianças, não é?

E você? Pelo jeito não deu nenhum passo a mais para realizar seu sonho, continua cada dia mais escravizado por essas viagens sem fim, pelo que chama de negócios dos outros e me parece bem adaptado às formalidades da profissão. Já tem até envelopes próprios. Seria chique

19

se não fosse triste. De qualquer forma, quem sou eu para julgá-lo? Também não consegui ainda romper com meus próprios padrões, aliás, continuo com alguns "TOCs" que o divertiam: a pirueta antes de fechar a porta, os sapatos alinhados e virados para frente, separados por tons, e a mais absoluta impossibilidade de sentar com os pés tocando o chão. Maravilhoso em restaurantes japoneses, mas um desconforto só nos franceses, bem sabes.

O medo de avião permanece. Outro dia passei por uma situação desconcertante. Acordei decidida a enfrentar o pássaro de ferro para conhecer o mundo. Saí ligando para todos os "psis" possíveis: os quiatras, os cólogos, os canalistas. Foram seis meses de muito blá-blá-blá sem resultado prático. Cansada de meu passado, parei com tudo e fui a um pai de santo especializado em fobias, que, sem abrir os olhos, me disse que algumas visitas (caras) e alguns poucos rituais resolveriam minha questão. E você sabe que mergulho em tudo que faço, sou dedicada até a não me dedicar, tudo depende de decisão.

O mestre era bem moderno, incluía até meditação nos rituais, pelo menos foi assim nos três primeiros dias. Depois, degringolou. Os encontros eram sempre coletivos, um bando de medrosos como eu cheios de esperança e no limite. Dançávamos ao som de batuques, não sem antes acender dezenas de velas — as mais caras de minha existência — e ouvir adultos sussurrarem frases inaudíveis com vozes de crianças. Engraçado, mas por que nos terreiros só baixam duas categorias de espíritos, as crianças e os pretos velhos? Fiquei curiosa sobre isso. Não descem sábios, intelectuais, gente criativa, humoristas, sociólogos, escritores. E a gente ficava lá olhando uma fileira de iluminados querendo pular amarelinha. Uma chatice. Mas fui até o fim, e lá dentro espero que o medo tenha passado; um dia eu testo, quem sabe para te encontrar.

Fora isso, as saudades.

bj

Pois muito bem, então.

Você se tornou uma escrevinhadora de certo modo caudalosa.

Não estou reclamando. Constato que você sempre foi mais loquaz que eu, mas palavras tão alongadamente escritas são novidade para mim.

Lembro-me de ter apenas uma carta sua, de quando você concluiu a faculdade e foi em viagem comemorativa com um grupo de colegas. Era uma carta juvenil e entusiasmada, e pasme, você não falava em doença ou morte, exceto por um machucado no tornozelo, resultado de uma afoiteza alpinista. Era também uma carta afetuosa, não muito apaixonada, mas com todos os sinais de comprometimento amoroso (e insinuações de desejo, ou estou enganado?).

Serviu-me muito aquela carta. Serviu-me? Não, foi mais: um consolo e um remédio e uma indicação para a mudança de rota para fora daquele meu casamento equivocado, bem antes do paradigma e termo dos sete anos.

Tudo o que seguiu fluiu o curso comum à sintaxe do casal-padrão, e se você acha que sou solitário e silencioso (talvez mais eclíptico que omisso), é que eu sempre considerei tácita a poesia e o drama dos parceiros. Afora os romances bem escritos (há que se dar perdão às artes), sempre achei insuportavelmente banais as histórias de amor que os outros contam e, pelo amor de Deus, horripilantes os detalhes eróticos que eles tentam nos impingir, um aperitivo para uma certíssima indigestão.

Fomos em frente. Você me suportando com paciência. Eu, lutando pelo que você entendia ser "meu sonho dourado". Grande coisa...

E, então, perdemos Andrezinho.

Você acha que eu lhe culpo por isso. É provável que tenha tido este sentimento. Naquele momento, tudo estava desabando e a comédia de erros financeira e os processos, a minha demissão do Ministério, tudo ressoava como uma cacofonia de impropérios e maldições.

Entenda que você sempre foi fraca e permissiva com André. Complacente às companhias dele, um grupelho de riquinhos de merda. Uns meninos fadados à adolescência perpétua, como os próprios pais. Ele caiu nesta moldura de classe, ficou parecido com eles, coisa que nunca imaginei nem propiciei.

E, meu Deus, ele estava dirigindo seu carro! Você deixou. Eu nunca permitiria.

E não quero mais falar sobre isso. Você acha que não sofri, que sofro, pensa que isto se apagou?

Você me chama de querido... e isto deve ser um direito que nós temos, apesar disto e de tudo. Que seja. Mas não me fale mais nisso. Nem nas "nuvens" que lhe visitam. Vivo sob tempo ruim e vou me ajeitando como possível, talvez nunca tenha esperado que fosse diferente.

Ainda assim, pena, a pobre Clarice. Gostava dela, uma mulher que passou o diabo na juventude e tinha uma resignação embutida e heroica.

E grato por dar novas de Mark. Tive outras notícias dele, por gente da área dele. Tudo ok.

Peço que leve a sério as circunstâncias para esta correspondência. Desde que saí daí, escorraçado dos meus direitos e injustiçado por todos os costados e instâncias, tenho me valido de expedientes que diria ágeis e de perfil discreto para sobreviver e produzir. É engraçado, mas, no meio em que circulo, sinto-me mais livre e

Fim de tarde com leões

valorizado que quando aí estava, rodando na mecânica nebulosa da corte, às vezes no ápice e, na maioria das vezes, sufocado no térreo da mediocridade e das safadezas.

Os envelopes não são da minha firma. Foram-me cedidos por empresas às quais dou consultoria.

Há gente aí insistentemente curiosa de minha vida. Você pode imaginar um merdinha que tirou mal um canudo de Direito, um ignorante que passou num concurso facilitado e que é refém deslumbrado de algo como 20 mil paus de salário e que acha que isto o imuniza e o eleva a paladino da Justiça, da Moral e da Graça, com ambições à Política e ao Poder? É este tipo de boçal que cava brechas nos processos para botar areia, emperrando o trabalho dos meus advogados.

A um outro, filho de um sujeito que é até decente, gostaria de fazer ver (e o farei, a justo tempo) as notáveis fotografias da mãezinha dele em plena felação em um cara num hotel da Bahia. Nem me pergunte como as fotos chegaram a mim. Tenho fotos e tenho cópias de muitas coisas. De tudo que despachei e autorizei e que despacharam (e me sonegaram) na época do Ministério e antes dele. De coisas que vêm do tempo dos milicos. Inclusive da morte do "alemão" no Rio. Você não acredita que os militares estavam sós nas peripécias da República, acredita?

Assim, vamos levando. E agradeço por não estar aí. Sai até mais barato.

Mas que surpresa!

Com que então, você vai agora aos terreiros? E ainda se pergunta por que não baixa neles a fina flor universitária, somente pretos velhos e crianças. Meu bem, é que estas almas puras têm certezas e estão lá para a tarefa de guiar e dar respostas aos outros. A elite pensante é presidida pela dúvida, vive neste pantanal de incertezas. É deste terreno que tiram seu sustento e seu gozo. Com algumas angústias charmosas, entenda-se.

Semana passada, a meu modo, também estive na África. Fomos eu e um sueco. Negócios com equipamento elétrico para um grande bloco hospitalar.

É divertido e instrutivo sentar à mesa com os governantes novos de países de lá, que vão superando os entreveros tribais e a miséria das guerrilhas e insurgências. São uns sujeitos bem preparados e com um ritual da seriedade bem ensaiado. Nosso Itamaraty tentou entrar lá na época e no tempo errados (tanto para eles como para nós), e agora eles estão mais interessados na União Europeia e também nos chineses (você os vê, esgueirando-se nos corredores, em grupos quase cômicos, trupes).

Você deve lembrar que gosto de carregar um bloquinho para desenhar nos passeios e nos vácuos tediosos das reuniões. Enquanto o sueco passava o PowerPoint para o pessoal, abri o laptop e, escondido pela tampa, pus-me a rabiscar. Deu-se um tempo e senti acercar-se de mim, pelo flanco, uma senhora negra, alta e meio gorda que me sussurrou em um francês muito bom: "O presidente não gosta disso".

Virei-me e olhei seu rosto cheio e luzidio ilustrado por um meio sorriso educado.

"Disso, o quê?", indaguei. Ela pôs o dedo na folha do bloco..."Disso".

"Desculpe", falei baixinho, guardando o bloco. Ela sorriu, mais educadamente. Olhei seu rosto, lembrando-me das litografias de Debret, um rosto talvez daquela época, que era, contudo, alterado por uma expressão moderna, uma máscara secretarial que poderia ser americana, não fosse a assustadora convulsão de cartilagem cicatrizada do que foi sua orelha direita. O ferimento estava lá sem qualquer disfarce ou pudor, lenço ou imprestável prótese que fosse.

O interessante é que eu não estava rabiscando o presidente. Havia sentado atrás dele, com papéis no colo, um auxiliar, um jovem negro que tinha exóticos olhos claros, quase cinzas. Era dele que eu fazia um croqui, cogitando a possibilidade rara de um potencial mulato em meio à "nomenklatura" de dirigentes de "raça".

Bom, passou-se.

À noite houve um coquetel em nosso hotel com o pessoal da Saúde e da Energia e Recursos Minerais. Esteve lá o presidente e staff. Inclusive a tal senhora da orelha mutilada. Foi ela quem levou a mim o presidente. Conversamos um tempo, coisas do projeto, e logo sobre o Brasil, muito mais sobre fatos diversos que sobre política. Ele foi simpático e formal. Deu-me a impressão de que estava bem informado do meu currículo e talvez da minha fama pública, digamos assim.

No outro dia, pela manhã, quando fui fazer o check-out, havia para mim um embrulho em papel de presente. Desconfiado (e escolado nestas surpresas), abri o embrulho ali mesmo, na frente de todos. Era um retrato do presidente, uma foto antiga dele, jovem, em roupas de tribo. E dedicatória feita com uma dessas canetas de tinta dourada.

Tableau!

Certo, certo, não foi exatamente uma aventura dos tempos coloniais, mas talvez o retrato tenha algum poder mágico, e quem sabe o mando, um dia, para você, que anda acreditando nessas coisas.

Também saudades, não é?

Querido,

Desfaço-me desse direito. Aliás, por que tanta hipocrisia, quando sabemos que não é de bem-querer que estamos tratando, nunca foi, e talvez nunca venha a ser.

Esse tempo que passamos distantes nos foi útil, mas agora não sei aonde nos levará. Estive os últimos três dias na cama, apática, febril, chorosa, efeito de sua carta, mas não por sua culpa. Abrimos uma dor nunca antes explicitada, mesmo que tenha vindo acompanhada por seus imperativos, desta vez o de eu não trazer mais o assunto à tona. Impossível. Andrezinho era nosso filho, um filho cuja morte nos encheu de culpas — cada um a seu modo. Sim, fui excessiva como mãe, no zelo, na complacência, na cegueira que acompanha a primeira vez. Mas você também teve seus pecados.

E não foi apenas esse tema que me acamou. Talvez o mais forte tenha sido a menção à minha carta de adolescência; voltei àqueles dias, aos esportes sempre radicais, à vontade de agarrar as possibilidades do mundo, aos estudos, às certezas hoje dissolvidas. A você. Sim, havia desejo em minhas palavras, desejos estremecidos pelo fascínio que você exercia em todas nós, e que pouco tempo depois se transformou em algo maior, uma vida a dois "para sempre". Tolice. Ao reviver tudo isso, tive saudade de mim e adoeci.

Pouco importa se naquela época a alusão à morte era um machucado no tornozelo, escolhemos as mortes que nos cabem. Mas não se engane, ela (a nuvem) sempre esteve por perto.

Felizmente, hoje aprendi a conviver com o que você chama de alma inquieta à deriva. Tenho dois amigos queridos, o Paulo (você deve lembrar) e o Alberto, criamos uma espécie de confraria emocional, um SAMU para a alma. Sempre que um dos três está mal, os outros dois o socorrem. Nesses três dias, eles se alternaram cuidando de mim. Temos uma regra clara: nada de perguntas; regrinha inútil, porque os três são falastrões descontrolados, sempre compartilhamos os incômodos, e eis o grande valor de nosso SAMU. O apoio ao outro é incondicional (por vezes infantil até), mas necessário. Somos um trio inseparável e presente.

E você, quer dizer que anda avesso a horripilantes detalhes eróticos de contos mal escritos? Houve um tempo em que gostava. Aliás, gastamos muito de nossa sexualidade usando esses personagens lascivos como inspiração. Éramos fantoches nas mãos de escritores de quinta, havia poucas regras e muito prazer. E não te causavam indigestão, ao contrário, em minhas viagens era você quem adoecia de saudade e falta.

Pelo jeito, agora se contenta em ver fotos dos outros. Sempre desconfiei daqueles envelopes coloridos com tarjas. Então era disso que se tratavam? Que pena nunca ter me mostrado, teria sido divertido, quem sabe se transformariam em novos personagens. Guarde-os, quem sabe.

Quanto à África, cuidado. Esses tiranos travestidos de Deuses são sim bem preparados com ritual de seriedade, mas trata-se apenas, como você bem esclareceu, de ensaio puro. São atores que roubam do povo e de quem chega para investir, gananciosos sem limites é o que são. Angola está em alta, tenho inúmeros amigos — igualmente gananciosos — seduzidos por esses senhores do poder, que você conhece bem. Pelo menos sabe como se proteger e nunca se deixou inflar por promessas passageiras e ilusórias que esse ambiente propicia. Se cuide.

Quanto ao "tableau", entendi o que o quase-Rei queria. Deve ter ficado com ciúme de seu desenho de um vassalo e quer justiça. Não o faça, não o ajude a decorar sua tirania.

Escrevo deitada no parque, precisava de um pouco de sol. Meu quarto, como bem sabe, é escuro, e eu necessitava de alguma luz. Sinto-me mais forte.

Não suma, por favor.

Eu.

Ouroboros...

Um dragão que engole a própria cauda.

Sua carta começa com um "querido" que é recusado e termina com um pedido para que ele não suma.

É esse paradoxo (e a infinita análise dele) que vamos experimentar? Responda-me você do seu leito de adoentada que, não por acaso, é uma cama de relva talvez pintalgada de florezinhas silvestres...

Bela estampa pré-rafaelita com música de Vivaldi ao fundo.

O moço do malote jogou a correspondência na minha mesa, com um jeito esportivo e displicente que ele, premiado com invencível juventude, jamais julgaria desrespeitoso.

No leque que se formou, estava seu envelope. Foi o primeiro que abri, antes mesmo que o rapaz deixasse a sala volteando, como se deslizasse em patins.

E ali estava. Um flash que captura e simplifica os anos que passamos juntos. Seria bom que fosse assim. Congelar memórias numa fração de segundo, eliminar detalhes e nuances, tudo em favor de uma imagem nítida destacada na escuridão (que você dirá: é o meu silêncio, é a zona obscura do que não falei).

Muito bem. Não vou lhe importunar agora com réplicas nem jurisprudências formadas sobre os nossos dramas. Mas quero dizer, ao menos, que os dramas (e nem sempre as comédias) dos outros é que são chatos. Portanto, para que não me julgue insensível, declaro, para todos os fins pertinentes, que o que você chama de "nossa sexualidade" foi grandiosa e bela e (não sei se isto lhe aborrece ou frustra) foi também escandalosamente íntima.

Temeria partilhar a lembrança (ainda excitante) de nossa educativa "mileumanoites" erótica no clube dos

Três Mosqueteiros do SAMU. Embora saiba que os três mosqueteiros eram, de fato, quatro: Athos, Porthos, Aramis e... d'Artagnan.

Aliás, há uma historinha tardia deles, não sei se a última: eles devem explodir um castelo. Porthos, o mais burro e mais forte, entra pelos subterrâneos e põe um barril de pólvora no porão. Acende o rastilho e começa a correr. Ouve, então, o eco de seus próprios passos e surpreende-se com a cadência deles, sincronizada à alternância dos movimentos dos braços. Considera, enquanto corre, como é bela e sábia esta harmonia de movimentos. Cogita como isto se processa no corpo. Como o espírito e a matéria se entendem para esta ação. Pensando nisso, ele vai diminuindo a corrida, observando os movimentos automáticos, até que, com o juízo e o corpo em curto-circuito, ele paralisa.

A pólvora explode e o teto rui. Uma enorme trave o esmaga. Ele resiste um tempo, porque é muito forte, mas é assim que morre.

Não vou sumir. A quem o dançarino dos malotes vai entregar suas cartas?

Beijos & beijos.

Meu favorito quadro pré-rafaelita
Com Vivaldi ficaria perfeito

Querido, queridíssimo,

Ouroboros em ação. Sou assim mesmo, circundo sobre minhas vontades, passo pelas limitações da vida, ignorando cada uma delas, e acabo mordendo, fortemente, os desejos, realizando-os. E você volta a ser querido.

Quanto à análise, tenho boas histórias a contar. Nos últimos meses passei por três analistas, os dois primeiros eram clássicos, rígidos, semimudos. Uma tentativa minha inútil de domar a ansiedade, de encarar a análise como religião, ou seja, de crer com força de fé que o Deus Maior (Freud, claro) era absoluto e o silêncio imposto pelo "setting" criado por ele resolveria minhas questões.

O primeiro me recebeu literalmente com um pé atrás. Ingenuidade minha que estendi a mão crente que poderia cumprimentá-lo com esses nossos beijos protocolares. Ele deu um passo atrás, deixando claro que o toque não faria parte de nossas trocas. Já entrei irritadíssima, mas respirando fundo para não perder a classe e aceitar o método. Você sabe como sou, antes de procurar o analista li dezenas de livros para me preparar e não tomar sustos, mesmo assim a rejeição não passou despercebida.

Durante semanas meus grandes companheiros nessas sessões de tortura foram o teto e as paredes do consultório. Ficava quase que todo o tempo olhando para os detalhes das rachaduras, que eram poucas, mas contavam boas histórias. Até que um dia caí no choro e pude sentir (porque num divã não se pode ver) o gozo do analista que também devia estar entediado, ou lendo, sei lá. Quando parei de chorar, senti certo ânimo para falar, aí o maldito alarme tocou, fim da sessão. Nunca mais voltei.

Mas não desisti, mudei para uma mulher. Bem conceituada, livros escritos, dezenas de artigos publicados em revistas respeitadas. Currículo redondo, não tanto quanto ela. Sei que é estupidez, preconceito, mas a gente espera certa "correção" de quem vai nos analisar. O que encontrei foi uma obesa descabelada que fazia um esforço enorme para domar o instinto que os gordos têm de ser engraçados. A rigidez da análise era uma mordaça para aquela mulher, e isso me incomodou. É como ir a um dermatologista cheio de espinhas e manchas na pele. É preciso equilíbrio no analista, não é? Também não voltei.

No capítulo seguinte, Dr. Manoel, um senhor com mais de 70 anos que fala mais do que eu. Dessa vez fui atrás de alguém que pulasse a cerca, saísse da técnica pouco intervencionista dos mais novos que, por insegurança, seguem à risca as prerrogativas do Mestre. Ele é assim. Doce, experiente, cuidadoso com as palavras e envolvido na medida certa. Fala muito justamente pela preocupação em não induzir, em não impor as próprias impressões, por isso, ele explica tudo, sempre deixando claro que cada palavra que diz se trata apenas de possibilidade. Estamos juntos há um ano, aos poucos te revelo minhas descobertas. Algumas bem dolorosas — e das quais você sempre suspeitou —, outras banais, mas significativas.

Nesse último ano, sua presença cresceu tanto, que optei por não entrar em novos relacionamentos. A análise te trouxe para perto. Às vezes

Fim de tarde com leões

saí de lá chorando porque queria dividir contigo, e apenas contigo, as descobertas. Não dá para conversar sobre uma sessão particularmente dura com qualquer um. Também foram as "possibilidades" do Dr. Manoel que, pouco a pouco, me encheram de coragem para te escrever. É como se só agora eu pudesse te responder algumas perguntas que ficaram vazias, sua insistência em contrapor lembranças minhas de uma infância criada para macular as dores. Você tinha razão, mas entenda, eu não estava pronta para enfrentar a verdade. Agora ela tem um tamanho que não mais me permite ignorá-la. E sinto-me protegida pela vida, posso enxergar as fantasias, tão necessárias à época.

Tudo isso é para responder sua proposta de análise infinita, mas com uma condição: que você também faça a sua. Não vou engolir apenas meu tortuoso rabo de dragão. Topa? Quem sabe assim possamos descongelar os anos que passamos juntos, reconstruir nossa escandalosa intimidade, talvez até avançar nela. Seria delicioso, sinto falta de seu toque, sua respiração, seus apertos na hora certa.

Beijos de longe,

Eu.

P.S.: 1. Às vezes me espanto com sua complacência, jamais esperei que minhas cartas encontrassem aí qualquer vestígio de bem-querer. Sua generosidade continua intacta.

P.S.: 2. d'Artagnan sempre foi meu favorito. O mais ingênuo, tão repleto de juventude quanto seu carteiro,  cheio de sonhos e certezas. Pena a morte de Porthos, seu jeito desengonçado e limítrofe era cativante. Amei a última versão cinematográfica com Chris O'Donnell e Kiefer Sutherland, a escolha não poderia ter sido melhor.

Ontem, entrei mais cedo na minha sala e o moço dos malotes lá estava, junto à janela, olhando o cinza da paisagem. Servira-se da cafeteira reservada e, absorto, sorvia o café a golinhos espaçados.

Tentei surpreendê-lo.

— Bom dia, Mercury!

Ele voltou-se para mim com a surpresa e o vexame sob controle.

— Bom dia, senhor, mas meu nome não é Mercury. É McFarley, senhor. Por acaso, é Fred. Frederick McFarley, senhor.

— Desculpe, foi uma brincadeira. Mercúrio era o antigo deus da correspondência, das mensagens, dos correios, enfim... Daí...

— Ah, bom, senhor. É que dizem que pareço com o Fred Mercury, o cantor...

— Oh, sim, talvez! — falei enquanto adivinhava a improvável semelhança.

— Sei algumas músicas dele, senhor.

— Não duvido. Diga-me, meu caro Fred McFarley, tem algo para mim aí nesse seu malote "hermeticum"?

— Como, senhor?

— Hermeticum, meu jovem. Vem de Hermes, o mesmo Mercúrio com outro nome e atributos. Significa fechado, perfeitamente selado. Como as cartas dentro do malote, espero.

— Sim, senhor! Sim, senhor! Todas fechadas, claro.

Ele tirou da sacola meu maço de cartas, atado em tiras de elástico.

— Aqui estão.

— Grato, Fred. Tenho esperanças de que venham boas notícias. Nunca se sabe. Mercúrio também regia o comércio e conduzia as almas dos mortos.

— Ele era bem ocupado, não, senhor?
— Mais que você, pelo visto. O café estava bom?
— Muito bom, senhor. Quer que lhe sirva um pouco?
— Não, eu mesmo cuido disso, obrigado. Despache-se, Fred McFarley.
— Certo, senhor.

Ele rodopiou nos calcanhares e exibiu a coreografia de saída.

Novos ingleses!

Tive vontade, depois, de mandar chamá-lo para mostrar a figura de Ofélia do cartão-postal que veio com sua carta. Tenho certeza de que ele diria: "Parente sua, senhor?"

Estive de bom humor ontem, e hoje também, ainda mais com a dose de reforço do "querido, queridíssimo" que veio em ondulações do lago de Ofélia, uma Ofélia que flutua, viva, embora merecidamente alucinada e a quem o pintor deu ares de Julieta.

Provavelmente, como você, ela daria trabalho à legião de doutores da mente e outros letrados da alma. Garotas más e desejáveis!

Os negócios vão bem. Acumulei comissões e bônus, deixe-me dizer com orgulho bem juvenil: invejáveis. Digo isto para você, pois, sem carecer, talvez, de auxílio psiquiátrico, andei morgado com estas palavras desde os eventos e complicações que me puseram fora de órbita. Agora, pelo contrário, sinto-me premiado por competência e agraciado em dizê-las, livres, aqui, da pecha maldita atribuída a elas em nosso "querido rincão".

Bom ser assim. Sinto-me mais forte para enfrentar o processo e as maquinações que persistem. Soube que tentaram, audaciosamente, cassar-me o passaporte. Semana passada, dei-lhes o troco. Os africanos (aqueles que lhe dão medo) fizeram gestões ou prodígios animistas de tal modo persuasivos, que inclusive o visto americano foi-me renovado. Estava vencido desde antes do 9/11. (ou 11/9???)

Sei que estas coisas lhe entediam, que dinheiro e negócios são coisas que você vê de forma passiva. É certo que não erotizo a grana, mas não tenho idade ou condições para ser ingênuo neste aspecto. Isto, inclusive, em seu favor, por segurança ou massa de manobra para qualquer adversidade.

Sei que nada tentarão contra os bens que ficaram em seu nome e que são efetivamente seus. Tenho os mecanismos de defesa engatilhados ao primeiro movimento que façam. Fique tranquila quanto a isto.

Pude correr os olhos com avidez pela sua carta até chegar às ondulações do final, aquele langor que se desfaz nas margens do lago Ofélia, espraiando seduções de toque, respirações e apertos. Nossa! Acho que devemos agradecer a este Dr. Manoel a liberação destes sentimentos.

Até mesmo porque você vem oscilando entre o tédio das conversas rotineiras e o amparo tribal na junta do Samu, devo agradecer a este senhor a escala real que ele lhe forneceu para a medida de nosso mútuo abandono.

Também sinto falta de você e tenho o desejo de exprimir isto sem retórica nem floreios. Talvez você prefira ainda os meus abismos palavrosos de acordes, aqueles mesmos das aulas que, segundo você, "fascinavam". Mas, minha querida, aqueles eram ademanes de jovem fauno afetando maturidade. Ao velho ex-fauno, falta, inclusive, a convicção de quem seduziu quem. Tenho considerado, ao longo destes anos e, sobretudo, nestes últimos solitários anos, que a sedutora foi mesmo você. Então, antes de agradecer ao tal Dr. Manoel, devo agradecer a você a ocorrência desta hipótese em meu espírito. Uma hipótese que se traslada sempre velozmente para o corpo. Ou você não crê nisso?

Espero que sim.

Longínquos e demorados beijos.

Paula Fontenelle e P. W. Guzman

Você continua fixado em Mercúrio, aliás, fiquei com ciúmes por causa do carteiro saltitante, afinal, anos atrás era a mim que chamava de "minha Mercúria". E, sempre que fazia isso, passava os dedos lentamente por meu nariz. Na época eu nem sabia que o Hermes Romano era também instável, volátil, inquieto, foi ele quem inventou a roda, indispensável a criaturas como eu, que não param em lugar algum. Pelo mesmo motivo, também me chamava de borboleta, lembra? Continuo voando, mas em ritmo desacelerado.

Vejo que também carrega para essas longínquas bandas a inveja que sempre causou aos seus pares, a ponto de ameaçar seu direito de viajar. Que bom ter tido a ajuda sectária dos africanos, você deve estar rendendo bons frutos à escória política daquele abandono. É verdade, o dinheiro para mim sempre foi pouco palpável, uma mera teoria do bem-viver que você inseria diariamente em nossas vidas. Talvez seja por isso que não notei nosso Andreginho se curvando ao que chamou de "grupelho de riquinhos de merda", acreditava que ele era como eu, e paguei um alto preço por isso.

Pelo menos agora estou mais cuidadosa, os bancos não me surpreendem como antes. Outro dia, notei uma cobrança indevida e gritante no cartão de crédito: lingeries caríssimas de uma loja de grife. Logo eu? Esses eram cuidados seus, querido. Há muito não recebo caixas inesperadas com laçarotes vermelhos, sua cor favorita para a intimidade.

Ainda me envergonho quando me lembro da primeira caixinha, minúscula como seu salário, àquela época de vacas carne-e-osso. Eu estava na sala de aula e lá vem um pivete sorridente me entregar o pacote. Abri na frente de todos achando ser chocolate; a peça era tão pequena, que demorei a identificar a frente das costas, segurando a calcinha ao alto, esquecendo que toda a classe examinava curiosamente a cena. "Até mais tarde", dizia o cartão rabiscado. Obedeci. Foi nossa primeira noite. E você achando que eu o seduzi. Falácia!

Fim de tarde com leões

Acho que não te contei ainda, mas mudei de bairro, consegui finalmente romper o cordão. A morte de minha mãe mudou as cores do parque, nunca mais andei de bicicleta por lá. Descobri um verdadeiro esconderijo nessa cidade megalo, distante do barulho e do cinza. É um subúrbio simpático que ainda guarda ares de interior, tem até a mercearia de Seu João, que permite pendurar pequenas compras, desde que sejam pagas no final do mês. Faço isso sempre, por charme.

Fiquei com pena do carteiro, imaginando a cena de suas ironias. Não é só ele que desconhece Ofélia, querido. Outro dia li uma coluna imbecil num jornal de província; lá, a suposta crítica de arte dissecou o quadro mostrando cada milímetro pintado, achou até uma caveira do lado direito, pode? Liguei para a editora de cultura imediatamente, questionando as informações, e quase a convenci de que aquele tipo de texto tira qualquer capacidade de simbolização da arte, que não se pode reduzir uma obra-prima a suposições estúpidas de significados. Sugeri uma longa bibliografia aos jornalistas e me exaltei quando a indevida me disse que a coluna havia recebido inúmeras cartas e e-mails elogiosos.

— Claro! Espelha perfeitamente a mediocridade de seus leitores e a sua!!

Desliguei o telefone sem esperanças. Mas não poderia me calar diante do que fizeram com minha Ofélia.

Aqui chove forte, vivo molhada. Finalmente comprei um guarda-chuva, mas sempre está no lugar errado quando preciso.

P.S.: A lingerie que me presenteou nos quinze anos de casados está intacta, guardo até hoje com esperanças de nosso reencontro. Ela é preta... parece que você estava prevendo a negritude de nossos dias dali para a frente.

Tive uma semana complicada, com viagem e agenda apertada. Sua última carta estava soterrada pelo expediente e, quando a resgatei, preferi lê-la à luz da janela. Julguei o birô inadequado para o que viesse e... estava certo.

Você continua a mesma sedutora perigosa e sutil, demos graça. Agora está mais cruel e certeira, tirando partido do tempo e aplicando uma voltagem letal de sensualidade a distância. Não que eu esteja reclamando, ande, prossiga nesta inspiração de enlevo e de resgate de nós dois, cúmplices desgarrados.

Mas, daí a...

Daí a dizer que seduzi a aluna mais bonita da turma? Paciência!

Quem se arriscaria a um pequeno/grande escândalo (e a um ridículo total), não estivesse já capturado e conduzido a este gesto? Pois bem: estou disposto a discutir isto ainda, nos sejam dados momentos e lugares felizes para tal.

Agora, sua memória falha numa coisa, mercurial criatura: eu, de preferência, lhe chamava de "pequena Vênus" e, era nesses momentos que alisava seu nariz, com alguma coqueteria infantil e safada. Gostava de ver seu rosto em "close", as olheiras emoldurando os olhos vagamente estrábicos pela proximidade do foco. Você sabe, Vênus era vesga, diziam os gregos entendedores da beleza àquela época, ou, como dizem os daqui, a deusa portava "a beauty blemish", uma jaça que singulariza a gema.

Assim... li sua cativante carta e enfiei-me no trabalho.

Lá pelo fim da tarde peguei o elevador e, numa parada andares abaixo, entrou seu compadecido carteiro McFarley

Fim de tarde com leões

e, com ele, duas garotas. O "mercúrio" cumprimentou-me com um traço de riso silencioso. Descemos.

Chovia impiedosamente.

McFarley e as garotas correram para uma lanchonete que foi inaugurada há pouco na esquina do prédio, confronte ao bloco onde estaciono. Lá chegaram, espanando-se alegres e ruidosos. Segui para o estacionamento, encostando-me às paredes, molhando-me, por falta de marquises nos malditos prédios modernos. McFarley e as moças já se haviam instalado em mesa e cadeiras escarlates quando a chuva encorpou mais ainda, e procurei abrigo sob a exígua platibanda da lanchonete, espremendo o corpo contra a fachada de vidro.

Os jovens gostam destes lugares, antípodas dos pubs. Neles, toca algum rock ordinário e difuso e há sempre um telão com clipes frenéticos. Mais ainda, a gente que serve tem a mesma idade de quem frequenta. E come, bebe e fuma as mesmas coisas.

A chuva respingava meus sapatos e recolhi-me mais, fazendo o vidro balançar com barulho. Eles me notaram, pude ver pelo canto do olho. McFarley inclinou-se para uma das moças e falou algo que a fez rir. Ela riu jogando a cabeça para trás, nem tanto para acentuar o sorriso. Parecia mais que se livrava das gotinhas da chuva que persistiam nos cabelos. Olhou-me e, certamente, o que viu foi apenas uma silhueta que virava o rosto em rápida torção.

Nesse instante, a chuva amainou de pronto e segui para o carro a passos encharcados.

Vivo um pouco destes relances. Neste caso, gravei a notável semelhança entre os cabelos da moça e os seus. Tinham o mesmo peso (um peso declaradamente tátil) e a cor de um castanho que quer ser mais claro sob luzes artificiais.

Outro relance:

Há quatro dias estive em Paris para uma reunião. No começo da noite, resolvi ir àquele bistrozinho de que gostávamos. Fui tomar um café e uma bebida forte, lendo uns relatórios que não quis ver na reclusão depressiva do quarto de hotel.

Sentei-me de costas para a rua, mais para ficar de frente para o dono — Jean-Louis —, que é um raro parisiense de cara simpática. Atrás do balcão, no alto, há um grande espelho inclinado para a sala e que reflete quase todo o ambiente. Um truque comum para dar amplitude ao espaço acanhado, mas que, da minha perspectiva, criava um curioso efeito de tela panorâmica.

Eis que vi irromper um efusivo par. Para minha surpresa, tratava-se do Carlos Alberto P. e de uma mulher que não sei quem era. Uma jovem que diagnostiquei como carioca, sem dúvida.

(Bom... você sabe... Ela portava aquela desenvoltura agressiva e esportiva e aquele jeito de usar roupas finas inadequadas a qualquer que fosse o horário. Além do mais, tinha aquela tez balneária e algum superlativo em brincos e pulseiras de grife.)

Muito diferente da Stella, mulher do Carlos Alberto, esta uma senhora de estirpe paulistana, mui insossa, certo, e contida ou reprimida. Em todo caso, o patifinho do Carlos Alberto ainda está com ela, boa filha do Valladares que ela é, casada com o C.A.P. com a bênção do papai que enfiou este genrinho escroque no Banco de Desenvolvimento para ajeitar as coisas do seu estaleiro, em vias de subverter-se nas dívidas, na decadência geral do Rio de Janeiro e nas repetidas gerências desastrosas.

Saindo desta comédia republicana, vamos à farsa:

C. A. P. também me viu pelo espelho e, constrangido, fez imediata menção de retroceder, no que foi impedido pela mulher, decidida a aboletar-se na primeira cadeira, acomodando suas sacolas de compras (esqueci disto) e lhe dando um puxão na manga do sobretudo, o que alojou o salafra do C. A. P. na última cadeira restante, justamente num ângulo que nos pôs em direta visão e confronto.

Ele fingiu, então, que não dava por mim, e eu me aproveitei disto para observá-lo bem. Envelheceu, o puto. Acabou-se o perfil bonachão de garoto de praia perpétuo, e, de um modo geral, ele está agora cinzento e flácido. Provavelmente, contudo, continua o mesmo escroto que costumava me bajular no Ministério e que, depois, botou para rodar no Banco umas circulares internas forjadas, com datas anteriores, nas quais desaprovava o crédito para megaoperações casadas de estoques reguladores que autorizei e processei como necessárias e legais. Vagabundo.

Resolvi brincar. Dei um tempo, fingindo ler, e chamei discretamente Jean-Louis para tirar uma foto comigo na mesa. Um garçom usou meu celular. "Pegue todo o ambiente", recomendei. Ele fez várias. Em uma, C. A. P. foi pego de surpresa, de frente. Noutras, ele se esconde atrás do menu enquanto a parceira, surpresa e aborrecida, indaga-se da razão das caretas de desgosto do canalha.

Assim tropeça a humanidade.

Você vê que vivo numa espécie de aquário de chuvas, vidros, reflexos e espelhos.

Aquário ou lago da Ofélia?

Diverti-me com sua bronca na editora de cultura. Você continua pertinaz e querelenta. Imaginei a editora recebendo uma reclamação abusada do próprio Hamlet.

Também julgo acertada sua escolha desta ilha-província para refúgio. Temo, porém, Dona Mandona, que a senhora seja eleita subprefeita disso aí e passe a transformar tudo, até que você mesma não aguente e termine por se mudar.

Tudo bem. Segure-se um pouco.

Beijos submersos.

Fim de tarde com leões

Querido

Agora que o tempo e a distância permitem, sugiro que envie à Stella as tais fotos incriminadoras do Carlos Alberto parisiense. Com a urgência que uma saborosa vingança exige. Suponho que diante do que vou contar, somado à sua natureza de investigador de subúrbio, surgirá, em breve, um outdoor escandaloso na frente da casa dos dois.

Ele é pior do que supõe. Sei bem por que seu crédito foi sumariamente desaprovado pelo C. A. P. Naquela mesma semana ele havia me telefonado, um dia depois de nosso jantar a quatro quando vocês selaram esses tais acordos. Queria marcar um encontro comigo, a sós, num desses restaurantes de São Paulo que são suficientemente escondidos e sofisticados para não deixar rastros.

Tentou me seduzir de todas as formas, elogiando minha classe e beleza. Imagine como reagi. Ameacei ligar para a Stella, chamei-o de salafrário e desliguei na sua cara. Por isso nunca dei muita atenção quando você mencionou o que ocorrera no banco e o posterior sumiço do rapaz. Escondi de você por medo de sua reação, até porque ele não havia sido o primeiro conhecido seu a me cantar. Depois do que aconteceu com o Ricardo prometi a mim mesma não te contar mais nada dessa natureza, mas confesso que será um deleite acompanhar suas providências na derrocada do vagabundo.

Vênus?

Agora lembro por que confundi Vênus com Mercúrio(a). Sempre achei um exagero seu me chamar assim, logo a Deusa do amor, da beleza e da fertilidade. Muita pressão para uma simples mortal. Além do mais, fui eu quem começou essa brincadeira de apelidos quando te mostrei o Nascimento de Vênus, do Botticelli, em nossa rápida visita à Galeria Uffizi, em Florença. E você bem sabe que o que eu queria que visse era o Zéfiro à esquerda do quadro, abraçado a Clóris, ninfa das flores, seu eterno amor. Para mim aquela cena era o retrato do que você sempre representou para mim: um protetor firme, e ao mesmo tempo, leve o bastante para me deixar voar, sempre ao meu lado.

Tenho um tempo quase imaginário — tamanha a distância do que sou hoje —, que ainda não ouso te revelar. Nossa separação, tudo que aconteceu nesses anos, meu desespero. Fugi de mim mesma por tanto tempo, que me perdi, cometi erros escabrosos, magoei tanta gente, me isolei como uma ermitã. Fui fraca e não soube enfrentar as consequências de meus próprios erros, o passeio inocente, mas sem volta, do Andrezinho, uma inversão no curso natural da vida. Temo até pensar nesse tempo, tampouco consigo te perguntar o que aconteceu em seu lado desse vazio. Desde que comecei a análise, estou medicada pelo Aurélio, aquele psiquiatra que você admirava... foi a forma que encontrei de te ouvir e de confrontar minha teimosia idiota.

Ainda tenho altos e baixos, mas o medicamento tem ajudado bastante. Às vezes choro a sua ausência e sinto que te devo algumas revelações, as farei cuidadosamente, prometo. Antes disso não me sentiria verdadeira ao teu lado.

Seu relato da viagem a Paris me encheu de coragem, e hoje, numa de minhas compulsões internáuticas, comprei um pacote para a

Fim de tarde com leões

Espanha e Turquia, sonho antigo que realizarei na próxima semana. Minha chefe ficou enfurecida, mas não teve como negar, afinal, não tiro férias há três anos.

Na Espanha, além de curtir Madri, irei finalmente conhecer a Mesquita de Córdoba, uma imponente representante de competição e estupidez religiosa. Pelo menos, nesse caso, o Cristianismo e o Islamismo guerrearam sem destruir o que havia sido feito anteriormente, resultado: uma esquizofrênica junção das duas arquiteturas que merece ser vista. Ah!! Estou cada dia mais insuportável como companheira de viagem. Além de parar a cada metro para fotografar tudo — constante motivo de nossas brigas —, agora levo também uma filmadora. Que tal?

Na Turquia, o mais esperado será uma viagem de balão. Sim, pasme, logo eu que morro de medo de voar. O pior é que nesse caso eu não poderei me entupir de remédios para dormir — devidamente estocados para a semana que vem. Apagar no avião é ok, mas no balão é melhor ficar alerta, não acha?

Por favor, não deixe de me escrever. No cartão que foi com esta carta, você tem os endereços dos hotéis. Essa viagem será bem mais saborosa com sua presença, nem que seja em palavras, e precisarei dividi-la contigo.

Querida,

Apenas um cartãozinho para dar resposta à sua recente carta.

Estou de saída para o aeroporto — vou outra vez à África, e o périplo anuncia-se complicado e meio longo.

Grato pela revelação da canalhice adicional do C. A. P., mas o tempo ainda não é de vingança. As batatas dele estão assando e... ele me deve mais do que a Stella e o velho Valladares podem cobrar.

Sua viagem me põe em tentação de lhe ver, mas não creio que seja o momento certo. Pelo amor de Deus e pelo nosso, tome cuidado com este voo de balão, sabe-se lá qual Zéfiro estará soprando...

Acharei, talvez, uma forma de escrever para os endereços dos hotéis, porém é mais certo e seguro que você receba notícias como foi estabelecido.

Boa viagem e todo carinho.

Fim de tarde com leões

Faz três dias que não durmo, pareço um zumbi. Onde estava com a cabeça quando decidi ir sozinha para o outro lado do mundo? Já sonhei com todo tipo de morte em balão. No primeiro, o pior, ele começava a queimar e os participantes saltavam, um a um, com seus paraquedas, e a única pessoa sem um era eu. Lá de cima, ficava olhando aquelas lonas coloridas sendo abertas. Alguns até acenavam se despedindo de mim, outros faziam acrobacias, acho que para me entreter rumo ao além.

O segundo teve um contexto moderno. Havia entre nós um homem-bomba que detonava os explosivos quando chegávamos à altura máxima permitida na Capadócia. Antes de fazê-lo, o que é bem comum nos suicídios, se arrependia e tentava, com nossa ajuda, se desfazer do aparato, em vão. Eu via a cena de longe, como se não estivesse lá. Do lado de cá do mundo, você pegava o primeiro avião e ia me procurar nas montanhas turcas, esperançoso de que eu tivesse desistido na última hora.

Dr. Manoel tem tido muito trabalho nas sessões extras quase diárias desta semana. Imagine esses sonhos sendo interpretados por uma paciente sonolenta e estressada. Na verdade, não precisa de Freud para entender o que está por trás dos balões queimando: puro medo, velho companheiro meu. Mas como terapeuta vive de interpretações, Dr. Manoel me fez lembrar até de uma topada que dei quando tinha seis anos e que levou meses para sarar. "Talvez os band-aids coloridos sejam as lonas dos paraquedas?", "E a dor pelo fato de minha mãe estar viajando naqueles dias estar representada pela minha solidão vendo os outros caírem salvos?" Com meu nível de cansaço desses últimos dias, tudo que pude ouvir foi: blá, blá, band-aid colorido, blá, blá, mãe. Concordei com tudo, claro, a última coisa de que preciso é brigar com meu analista.

Olhando pelo lado positivo — diria você —, certamente dormirei o voo inteiro. Até preparei uma infinidade de distrações: revistas, livros,

Ipod, filmes, mas duvido que tenha energia sequer para comer o lixo que servem nos aviões ou tomar os soníferos que estou levando, o que é uma boa coisa. Talvez troque tudo isso por uma taça caprichada de vinho antes de embarcar.

E o trabalho virou de cabeça para baixo esta semana, o previsível inferno astral pré-férias. Teve até uma mulher histérica que veio reclamar de uma foto feita dela que realçava sua pinta no rosto. Gritava enlouquecidamente porque vai tirar a tal pinta numa plástica em breve e "não custava nada esperar", pode? Minha esperta chefe sempre me direciona os loucos e pervertidos.

Por falar em perversão, estou com pena adiantada do C. A. P. Se nem a cantada que deu em mim fez você tomar uma atitude de vingança, imagino o que vem por aí. Não ouse esconder de mim, mas cuidado com seus impulsos. Por trás dessa generosidade infinita se esconde uma fera indomada e raivosa. Já a vi em ação algumas vezes.

Reze por mim, mesmo não acreditando nos Deuses.

Saudade.

Fim de tarde com leões

Por que faz isso comigo? Estou há dois dias em tormento por essa imensa e claustrofóbica cidade de Toledo sem sair do quarto do hotel, tudo porque me prometeste escrever sempre. Mentira. Cansou de nossas reminiscências ou já entrou na fase de me destruir? Mandei, como você impôs desde a primeira carta, nos envelopes corretos, e de nada adiantou. Deve ter encontrado uma africana nojenta pelas ruas e a levado ao quarto de hotel para um pouco de sexo desumano. Foi isso? Então que me diga de uma vez por todas, assim paramos com essa palhaçada que você insiste em chamar de amor.

Às vezes, te odeio.

Preciso ter forças para ir à Turquia. Agora, tudo me parece impossível.

Me escreva.

Mesmo você insistindo em não me responder, preciso dividir, em papel, tudo que vejo por aqui, digo em papel porque passo o dia conversando contigo, brigamos até. O hotel me parece grande demais, tudo me parece grandioso, tamanha é a falta que sinto de você.

É mesmo um mundo diferente, cheio de gatos pela rua (ainda não sei, mas deve ser um animal sagrado) e gente mal-humorada. A fama de negociadores profissionais dos turcos é mais que merecida, é "hello, please come" pra todo lado, basta encará-los. E ai de você se não comprar o produto deles, inclusive restaurantes que têm rapazes novinhos e simpáticos (no primeiro momento) para te atraírem para dentro. Turista para os turcos não tem qualquer ligação com aprendizado, curiosidades, diferenças. São só e exclusivamente unidades monetárias, de preferência, o Euro. Minha única vantagem é ser brasileira, de fato a nacionalidade mais benquista do mundo. Basta dizer Brasil, que alguém vem com, no mínimo, um grande desejo de conhecer o país, isso quando não tem alguma referência — mesmo que questionável — do nosso país. Dá orgulho ser tupiniquim.

Ando cansada, caminho além de minha força, especialmente a interna. Seu silêncio me perturba, angustia, dói. Quase fico na Espanha, o desafio de uma terra totalmente diferente era um peso, mas talvez até para te enfrentar — coisa que só recentemente pude fazer —, levantei da cama e vim. Não me arrependo, mas seria melhor se tivesse certeza de que está lendo minhas cartas.

Estou em um Internet Café, na Tacsim Square, a parte mais ocidental daqui, um descanso para a guerra diária que enfrento para entender uma simples placa de restaurante. Mas tenho que ir, é demasiado tarde.

Me escreva, nem que seja para dizer que não se interessa pela minha aventura. Sei que, por mais que me estimule, na hora H se enche de ciúme e sabota minha viagem, sempre foi assim. Preciso de suas palavras, com qualquer tom, por favor.

    Beijos saudosos e pesados.
eu

Paula Fontenelle e P. W. Guzman

Voei no balão! E vi você em todas as esquinas dos vales da Capadócia. A cidade é indescritível, menos ainda a sensação lenta e tranquila de vê-la de cima. Tirei muitas fotos e logo te enviarei algumas, não consegui ainda explicar aos turcos dos Internet Cafés que preciso fazer o download das imagens. Impressionante como é difícil encontrar alguém aqui que entenda inglês.

A Turquia é um país surpreendente, lugares lindíssimos e bem conservados, áreas modernas que contrastam com a história milenar, e o Islã mais avançado que há. Nada de lenços e direitos suprimidos às mulheres.

Ainda andas silencioso, agora passei da fase da raiva e me preocupo; não brinque mais com meus sentimentos e escreva. Começo a pensar também que talvez esse sistema criado por você de portadores não esteja mais funcionando. Mais que tudo, me amedronta a ideia de você sumir na África, esse ambiente de novos negócios — movidos a ganância da pior espécie — sempre me foi assustador. Sei que é experiente e sabe se proteger, mas o continente conhece pouco de democracia e muito de fanatismo e ditaduras sanguinárias.

Fim de tarde com leões

Os dias têm sido puxados, mas tenho aproveitado cada minuto e dormido pouco, aliás, dormir nunca foi meu forte. Ainda vou visitar Éfeso, Tróia, Pamukkale e Kusadasi. Cada cidade tem uma característica diferente. Estou agora em Konya, a mais religiosa do país, parada de peregrinação para os islâmicos, especialmente os sunis. Um dos maiores teólogos sunis viveu aqui, também um dos maiores poetas islâmicos (escrevia em persa, século 23), chama-se Rumi. Visitei seu mausoléu hoje, um museu que descreve o modo de vida e a filosofia Suni.

Já estive em Ankara (capital da Turquia) e Istambul.

Agora preciso jantar, mas precisava dar uma parada para te escrever. Às vezes tenho a sensação de absoluta perda de tempo, canso de escrever sem retorno, canso de você tantas vezes, mas ainda não encontrei uma maneira de te tirar de mim.

Saudades distantes,
eu

Acho que você não gostaria da Turquia. A técnica pouco cortês — sendo educada — dos comerciantes o irritaria demais, logo você que se gaba de seus modos galantes e diplomáticos no trato dos negócios. Não chega a ser uma Índia, mas comprar aqui enche o saco de qualquer um. Isso, posto de lado, hoje conheci Pamukkale e suas piscinas brancas nas montanhas, uma vista que não se assemelha a nada no mundo. Depois de muito calcular os riscos (pedras escorregadias e úmidas), tirei os sapatos e fui até longe para tirar algumas fotos do lugar. Se um dia as vir, gostará das imagens.

Os gatos ficaram para trás, talvez eles tenham sido apenas um sinal de que a região onde me hospedei em Istambul, Sultanhamet, é imunda. Nada de animal sagrado, apenas um aglomerado de sujeira e comida fácil, maiores atrações dos felinos.

Mas não é disso que quero tratar. Essa será minha última carta sem resposta, a preocupação com você tem-me tirado o sono e me impedido de aproveitar melhor a viagem. Portanto, seja por descaso, charme ou mesmo um motivo à altura de nosso reencontro, caso não receba uma resposta sua encerraremos aqui essa correspondência. Não acho justo que o fluxo de nossos afetos seja interrompido por ciúme, capricho ou seja lá o que for que o impede de me responder. Já sofremos demais com tudo que passamos nos últimos anos, mais ainda pelo rompimento súbito, e me nego a sofrer ainda mais. Não sentirei nem mais um minuto dessa dor. Se assim preferir, que permaneçamos a distância. Aceitarei sua decisão, mesmo achando uma pena e uma grande perda para os dois.

Fim de tarde com leões

Não sei se devo queixar-me ou simplesmente deixar-me aborrecer, talvez mergulhar no tédio depressivo, habitual nos homens de minha idade. Não são coisas que se programem, sei bem, e o impulso e a resolução para tal dependem menos de minha vontade de que, por exemplo, suas cartas — tão acerbas no contraste entre afeto e zanga.

Num momento, você se abandona à ideia de um amor vestido de angústia e ornado de esperanças, noutro, recua para a nudez pura e simples do ódio. Decidiu-se a escrever-me, a sair da sua solidão e, talvez, da minha própria, como se esta — a minha solidão — fosse um bem seu e uma posse sua. Será por isso que suas cartas se permitem tal leviana alternância de sentimentos? Ou, quer você que eu me dobre, com sua flexibilidade, nesta ginástica de emoções e estados d'alma que você crê amorosos?

Amarga-me ter passado a aguardar suas cartas com inquieto prazer. De certo modo, elas parecem restituir nossa intimidade. Mesmo nas entrelinhas e bem mais nos embates entre palavras e paradoxos. Disso sempre tivemos, embora, depois de tudo e do nosso afastamento, os paradoxos tenham se tornado mais presentes e enigmáticos na sua vida e na minha também. No meu caso, luto como posso para livrar-me deles.

Escreva-me, continue se quiser, mas não se alimente de ameaças a mim.

Somente recebi suas cartas de viagem quando voltei ao hotel em Hahare, há quatro dias.

Houve uma enrascada miserável e fiquei — vou dizer a mais doce palavra — retido no país por quase três semanas.

Deveríamos chegar na África em dois grupos com objetivos convergentes. Eu e o engenheiro sueco Gunnar, representando um consórcio. E um "mix" de europeus metido no negócio confuso de políticas ambientais, capital-carbono, energia alternativa, etc.

Os gestores aqui têm cortejado setores de vários matizes da Comunidade Europeia, tentando ser palatáveis a investimentos e publicidade simpática. Não creio que levem a sério a retórica dos ambientalistas. É mais um jogo de cena. Conosco a situação é diferente e mais objetiva. Há planos concretos para microusinas para eletrificação rural e projetos para sistemas de geração de médio porte. Estes atenderiam necessidades de processamento de minério, indústria e desenvolvimento de cidades-polo no interior. A ideia é aproveitar algumas bacias "ociosas" depois da desapropriação de latifúndios dos brancos. Também, ir substituindo as termoelétricas (já meio sucateadas) e amenizar a dependência ao sistema de Kariba — sempre um ponto potencialmente instável entre eles e Zâmbia.

Pois bem, os idiotas verdes, em lugar de chegarem conosco, como combinado, foram, dois dias antes, a um convescote ecológico na África do Sul. Lá, acidentalmente (ou não), fizeram contato com elementos da oposição exilados (remanescentes do MDC e simpatizantes). Deste besteirol (ou farra), resultou notícia em jornal e rádio. Coisa muito ofensiva ao governo daqui, que... vamos dizer... é muito sensível a tudo que possa parecer deslealdade ou, mesmo, equívoco.

Então, esperamos os moços em Gwandu para a primeira reunião com o pessoal da energia (ZESA). Não chegaram. E não houve explicação naquele momento para isso.

Falaram-nos que uma nova reunião com eles seria em Gokwe, ao Norte. Fomos para lá, Gunnar, eu, um engenheiro da ZESA e um capitão do exército. Fomos num helicóptero velho, mas que fez o serviço. Pousou num pátio de barro cintado por dois semicírculos: um de bananeiras, outro de barracões de feição militar e alojamentos de canteiro de obras. O besouro idoso ficou zunindo as pás, sendo observado do meio das bananeiras por um magote de meninos fantasmáticos. Descemos, o capitão nos apresentou ao oficial do campo, voltou para o helicóptero e foi-se numa nuvem de poeira marciana.

O acampamento fica a uns 30 quilômetros da vila propriamente dita. Os alojamentos têm conforto modesto, mais para caserna. Luz de gerador, banheiros monásticos, comida de natureza não identificável ou ração militar em latas.

Conferenciamos, meio decepcionados. Perguntamos pelo outro grupo. Disseram-nos que eles estavam noutro acampamento mais a oeste, em Binga, e que nos reuniríamos a eles, em breve.

Breve não houve, de modo que iniciamos, eu, Gunnar e o engenheiro Inyanga, as expedições de campo. Fomos até onde pudemos num jipão, servidos por mapas e GPS, por levantamentos aerofotogramétricos antigos e quatro soldados de catadura impassível.

Minha ideia era que concluíssemos a análise do sítio em dois dias e seguíssemos para o próximo levantamento, pois já havia desistido de encontrar com os verdes, mesmo porque não tinha grande interesse neles nem em suas utopias oportunistas.

Ao cabo dos dois dias, porém, e com o trabalho ali concluído, não chegava o transporte. Fomos falar com o oficial do campo. Na verdade, ele nos deixara num barracão e pouco vinha nos ver. Vinham mais até nós o cozinheiro, com um avental encardido sobre a farda (e, que, sem o avental, fazia a faxina dos banheiros, no fim da tarde), e os quatro soldados da escolta (ou outros quatro, com as mesmas feições indevassáveis) para uma espiada fingidamente ausente em nossos pertences e papéis expostos.

O oficial nos respondeu vagamente que havia passado um rádio e estava esperando retorno. Esperamos também.

Nada aconteceu. Ficamos sem comunicação, à mercê do improvável rádio. Celulares não pegavam. Nada vinha da vila, morro abaixo, ou de qualquer outro sítio, morro acima, a leste, oeste ou norte.

Daí, as coisas começaram a apertar. Se saíamos para uma volta nos arredores, era sempre na companhia armada dos quatro soldados de cara de bronze. Monossilábicos, eles.

Numa tarde, um deles obstou os passos do engenheiro Inyanga, de forma abrupta e aos gritos, somente porque ele acenou e aproximou-se de um caminhão que saía do acampamento. Foi constrangedor, e Inyanga recusou-se a comentar conosco a situação. Fechou-se em copas e encolheu-se num canto do barracão lendo, ou fingindo ler, um livro.

Passamos quase uma semana num estado vexatório de incertezas, mais presos que soltos, tratados com rudeza castrense. O gerador era desligado às 20 horas, e então o silêncio fundo e frio do platô era entrecortado pelo ruído dos bichos da noite, numa cacofonia de zoológico faminto.

Gunnar não conseguia dormir e esticava o esqueleto nórdico sobre as tábuas do alpendre. Eu dormia mal, mas dormia, encapsulado num mosquiteiro.

Bom. Num sábado, pelo meio-dia, houve uma agitação no pátio e na tropa. Saímos para ver. Vinha chegando um carro enorme, quase uma limusine, de cor preta, que se havia cambiado em tons avermelhados de barro e poeira. Vinha atrás um caminhão camuflado do exército.

Fim de tarde com leões

Saltou do carrão ninguém menos que o negro dos olhos cinza.

(Esta figura, que descobri ser exponencial no regime, chama-se William Okebe, mas todos o chamam pelo som de sua assinatura, famosa nos documentos e despachos mais importantes do governo: Will-O, Willow — árvore ausente nos pagos, mas que indica, talvez, a raiz genealógica do homem e seus olhos claros.)

Willow não quis muita conversa. Avistando-nos, veio até o barracão, levando-nos para dentro, seguido por dois praças norte-coreanos das tropas de segurança.

O caminhão estava despejando soldados pelo pátio.

"Bem, chegou a cavalaria", pensei. Foi mais ou menos isto.

Calmo, Willow nos perguntou a razão de estarmos ali retidos, quando éramos esperados para as reuniões subsequentes em Chirundo e Karienba e para o encontro conclusivo em Harare.

Eu ia começar a desfiar meu rosário de queixas quando fui interrompido por Inyanga com um caudaloso e enfático discurso na língua shona.

A fala arregalou os olhos de Willow. Foi até a porta e gritou pelo oficial de campo. Este chegou, e não chegou simpático.

(A disposição dos atores nesta cena era mais ou menos essa: eu e Gunnar por trás da mesa de mapas, de costas para a parede de fundo. Inyanga no lado oposto, mais à cabeceira. Willow à frente da mesa, voltado para Inyanga. Os dois coreanos, um à porta, outro à janela, nas costas de Willow. O oficial de campo postado entre Inyanga e Willow, a três passos deste.)

Começou uma discussão feroz entre Willow e o oficial: Willow, em shona, escandindo cada fonema; o oficial, em ndebele, engasgando de raiva a cada grito seu e do oponente.

Um verdadeiro show para etnolinguistas, não fosse a merda que se deu.

Subitamente, o oficial arrastou da cinta um facão de mato e arremeteu contra Willow, assestando-lhe um golpe. O facão entrou meio de banda, rasgou a manga do casaco cáqui de Willow e afundou na carne, parando nos ossos do antebraço (que Willow erguera instintivamente para proteger a cabeça).

O braço de Willow só não foi decepado porque o oficial, no seu arremesso, tropeçou na minha mochila de viagem, aos pés da mesa, desequilibrou-se e perdeu o ângulo e a força do golpe.

Logo, em décimos de segundo, ocorreu algo notável: o longilíneo e ossudo Gunnar saltou por sobre a mesa e derrubou o oficial com uma gravata digna de filmes. O homem largou o facão cravado no braço de Willow e caiu de costas sobre Gunnar. No mesmo momento, os dois coreanos desabaram sobre os dois e foi uma sorte danada para o sueco que as coronhadas só acertassem a cabeça do oficial.

O barulho atraiu a soldadesca. Um sargento entrou no barracão e imediatamente percebeu o drama. Saiu gritando ordens para todos os lados e em todos os dialetos exigidos, e a tropa botou ordem no pátio e nos alojamentos. Alguém disparou uma rajada de metralha para o ar, e a meninada curiosa que cercava o carro preto debandou para as bananeiras.

Willow estava emputecido, mas controlado. Não gemeu nem falou enquanto tiravam o facão de seu braço e estancavam a sangueira com uma atadura improvisada.

Fim de tarde com leões

Tinha os olhos ainda mais cinzentos, puxados para o chumbo. Disse-nos em seu inglês educado: "Lamentamos por tudo isto". Falava pelo governo, pois.

Assim, foi graças à coragem e intrepidez da minha mochila e do sueco Gunnar que se salvaram Willow e nossos negócios.

Veio um helicóptero moderno e enorme. Seguimos direto para Harare e, no dia seguinte, recuperados das emoções, retomamos nossa agenda de trabalho.

Não sei do oficial de campo. Certamente aduba agora a plantação de bananeiras ou compõe o barro da pocilga atrás da cozinha

da caserna. Quanto a nossos "parceiros" ecologistas, haviam sido retidos na fronteira, sob alegação de que havia um surto epidêmico qualquer nas áreas a serem visitadas. Foram redespachados aos fóruns ambientalistas com promessas de novas oportunidades, análises mais acuradas dos potenciais de biomassa, etc., etc.

De mais a mais, tudo não passou de um desentendimento banal e recorrente entre os setores da informação e da segurança. Uns falam shona, outros ndebele, mas, na essência, é tudo mesmo bantu. Paciência. Vamos em frente.

Encerradas as reuniões de conclusões e pareceres com o pessoal da ZESA, resolvi descansar dois dias no hotel, aproveitando o restaurante, a piscina e o bar. O hotel é muito bom. Nosso tupiniquim Rei Bobeche até poderia dizer dele que "nem parece ser a África".

Gunnar, o valoroso, voltou antes. Tem família, e ela ficou apavorada.

Quem passou para um drinque, antes de ir a Moçambique, a trabalho, foi o engenheiro Inyanga. Preferimos não falar sobre a passagem no acampamento. Falamos sobre outros tempos e momentos. Ele me impressiona com sua compreensão sábia e profunda de todas as Áfricas, a latitude de sua experiência, seus contatos e suas manobras de sobrevivência. Deu-me indicações preciosas de como me mover no jângal humano daqui, e, inclusive, orientou-me quanto a "unas cositas" pessoais que quero empreender.

Como você pode ver, não houve circunstância favorável para "sexo desumano com nenhuma africana", risco talvez menor que as expedições às savanas.

Esta carta vai demorar a chegar a você, pois a estou despachando do outro lado d'África, de nosso escritório na Nigéria, onde estou de passagem, de volta à base.

Teu, de certo modo, Livingstone.

Fim de tarde com leões

Acabo de ler seu relato sombrio e assustador sobre os negócios africanos. Para mim, nenhuma surpresa, mas é incrível como você consegue relatar uma experiência de vida e morte, de violência destemperada, como se não tivesse participado dela, como se fosse um capítulo de um livro. Fiquei sem ar ao ler sua carta em dois momentos: no primeiro, pela culpa em mais uma vez romper-me em surtos imediatistas e te magoar; no segundo, por pânico de quase tê-lo perdido.

Já estava quase conformada com seu silêncio, com o que para mim havia sido sua escolha em nos manter inacessíveis um ao outro, afinal, foi assim nos últimos anos. Antes de voltar à sua aventura no território da tirania psicopata, gostaria de expor minhas incursões internas recentes, essa sim uma viagem cheia de mortes. Ando renascendo. Para você.

Depois de uma semana sem receber respostas à minha última carta, comecei a sentir náusea, vazio e uma solidão sufocante. Mas, ao contrário do que sempre faço, resisti à tentação da fuga e me deixei sofrer. Nada de entupir a agenda, nada de sessões de desenho animado, nada de passeios no parque e trabalho ensandecido.

Foi no conforto de nossa cama que chorei por sua ausência, por nós, pela morte do Andrezinho, pela teimosia de minha mãe, que morreu acreditando em um médico incompetente que acabou por matá-la, pelas abdicações que fiz, por mentir para você. Chorei, acima de tudo, por todos os afetos que sufoquei ao longo dos anos, pela dor que nunca havia me deixado sentir.

Desta vez não tive asma.

Você está certo. Aparentemente, minha vida vem sendo ornada por alternâncias de amor e ódio, mas, no fundo, não me deixo preencher verdadeiramente por nenhum desses dois sentimentos extremos, fujo de qualquer coisa que me estremeça.

Não quero mais a mim mesma, não assim, não sem antes experimentar a integridade emocional que a razão sempre expurgou dos meus dias. Maldita razão que usei para enganar as pessoas e para passar uma quantidade inexistente de segurança e bom senso. Pura ficção! Tudo isso me irrita, é como se as minhas relações não mais me pertencessem porque foram construídas por mentiras, jogos infantis e conquistas fáceis.

Talvez também por essas descobertas você tenha crescido. Quando me lembro de sua relutância precisa em se deixar levar pelo que eu queria que acreditasse ser eu mesma, sinto o quanto fui inábil em te perceber por inteiro.

Quantas vezes te enchi de palavras e atuações teatrais? Sempre rias de minhas máscaras, e eu me irritava, achando que era provocação ou ironia, mas era apenas uma forma delicada e amorosa que tinhas de me dizer: "você é mais que isso, mais do que acredita ser". Nunca te enganei.

Quero destruir o pedestal de ferro que construí apenas para me proteger, para me tornar inacessível ao que enxergava ser emoções banais e inúteis dos fracos. Costumava dizer: "a vida não tem espaço para a covardia", lembra? O que dizer da minha? Tudo isso me preenche e incomoda, dói, mas sei que tenho que enfrentar as fases de minha própria Fênix. No momento, ela queima e arde, mas sei que um dia as cinzas virão.

Mudando o foco de minhas fraquezas para as suas, quando você vai valorizar um pouco mais sua vida e deixar de se arriscar tanto? Será que mais uns trocados valem você ser degolado por um facão africano?! Estou ultrajada com seu relato. Claro que o Willow não demonstrou qualquer reação, esses mugabeanos são treinados via tortura, não sabe disso?! E você fala em adubo de bananeira com a maior naturalidade, tenho certeza de que o tom de galhofa é só para fingir que isso não é verdade. Ele deve sim estar mortinho da silva, tem alguma dúvida? E você a conviver com essa choldra?! Para quê?

A venda da JESA nada mais é que um instrumento de corrupção para encher ainda mais os bolsos desse tirano nojento. A tática dele é de uma crueldade infame: deixa a população sem energia em rotinas diárias de racionamentos, até chegar ao limite de que qualquer opção oferecida pelo governo não encontrará resistência e será vista como ato sublime do semideus. De resto, o tal Willow deveria ter morrido, ele mesmo já deve ter assassinado inúmeros zimbabuanos, esses, sim, vítimas de uma corja de carrascos.

Toda minha ira é uma forma de encobrir a preocupação com você... por favor, saia desse ambiente, sei que adora um desafio, mas negociar com Mugabe?!! Certa está a família do Gunnar, espero que a mulher dele seja mais persuasiva que eu, pois tenho a impressão de que, como em outros momentos como esse, não terei sucesso em te dissuadir dessa empreitada questionável.

Meu querido, sua generosidade não combina com a África genocida.

Pequena enferma,

Se sua carta tivesse me alcançado ainda na Nigéria, eu teria vencido toda a prudência e, contra as advertências dos advogados, iria lhe ver, desse no que desse. Havia um desejo que me assediava e que deixei transparecer com afoiteza. Estava apenas do outro lado do mar, seria um voo relativamente curto.

Nossos amigos rábulas ficaram irritados com meu impulso. Irritados até a grosseria: "Por capricho, você quer estragar nosso trabalho, quer precipitar uma situação que não poderíamos controlar?".

Engraçado! Eu, supostamente incriminado até pelo lado dos que são pagos para me defender... Caprichoso e precipitado, portanto irresponsável. Muito bem. Chega a ser, contraditoriamente, um elogio, uma sugestão de juvenilidade, de arroubo adolescente.

Derrotado, voltei à base.

Lá estava sua carta, seu anátema à África e mais a confissão do estado transiente que você experimenta com todas as tristezas.

Pensei que as férias lhe tivessem feito bem, mas vejo que as expedições em trilhas, em mercados e voos de balão foram pouco mais que miragens que não a resgataram da "viagem em redor de seu quarto" nem da penumbra de uma cama de dores e recordações.

Já lhe disse que não levo a sério suas queixas de doença, a hipocondria algo cômica que você profere, mas desta vez assustei-me.

Temi, principalmente, os indícios depressivos que somam vários arrependimentos em avalanches de desgosto e decepção com o que você tem sido... ou julga ser.

Fim de tarde com leões

Severa com "sua razão", crê que ela seja a encenadora do teatro com que você responde à sua existência e aos outros.

Ora, minha querida... Todos representamos a vida, uns com mais talento, outros com deslavada canastrice. Esta é uma regra de sobrevivência, pois a vida em espécie é insuportável e sem valor de troca.

Meu velho pai dizia que numa representação teatral, os atores evitam se olhar nos olhos diretamente. Desviam a vista um do outro, um quarto de ângulo que seja, para não cair na gargalhada, coisa desastrosa para a veracidade do drama ou da comédia em que atuem.

Você devia estar feliz com sua razão, mesmo que ela seja uma senhora chata e uma diretora prima-dona. Ela lhe dá o equilíbrio possível.

(Você lembra que fiz um desenho seu, na corda bamba, grávida do Andrezinho? Ali havia algo de premonitório: da sua graça serena posta em risco sobre o abismo. Teatro? É possível. Mas, não é — não foi — a vida?)

Outra coisa que me assustou foi seu cuidado comigo. Acolho-o com carinho, mas não posso deixar de considerar que é um risco para você imaginar "perder-me". Não pense assim. Vivemos um pedaço de vida que não nos puderam tirar. E vivemos agora um momento que nos explica por que não conseguiram fazê-lo. Portanto, fique calma, isto me fará bem.

Com a idade fui ficando mesmo obtuso para certos perigos. A situação na África só veio a me meter medo depois. No acampamento, vi as coisas rolarem dentro de uma lógica própria, imune à minha capacidade de intervenção, mas, em compensação, pobre em desígnios. Morresse Willow, ou eu, ou Gunnar, tudo seguiria com outros atores. Aquilo é uma terra mais velha e mais perversamente sábia que nossa filosofia "prêt-à-porter".

Já a Nigéria é ainda mais complexa que a África como um todo. Circular pelo seu mundo de classe média-alta, de funcionários, empresários e estudantes multigraduados que sobrenadam o petróleo e a miséria atávica, nos faz ver quão diferente é a "épica da negritude" de nossa terra e quão rala é a consistência de nossas ambições.

O engenheiro Inyanga conhece bem o pedaço e suas nuances. Esteve lá por muito tempo, ainda quando do embargo mercantil à Rodésia, fazendo triangulações para a compra de equipamentos. Deu-me cartas de apresentação para algumas pessoas-chave, tanto do mundo oficial quanto do subterrâneo.

Ok. Nenhum temor. Não me imagine como um Rimbaud sobrevivente e macróbio em alguma aventura arriscada. Apenas é assim que as coisas ocorrem, em vasos comunicantes que mesclam os estratos sociais e os negócios. Ao nosso modo, mais cristão, também misturamos patifarias e ideologias paroxistas.

No avião, de volta, sentei-me ao lado de uma senhora negra. Em suntuoso traje nativo, de turbante, braceletes, tudo. Puxamos conversa. Ela ia ver o neto que estuda na Inglaterra. Eu disse o que fazia, pelo alto. Ela me olhou de dentro de uma malícia introspectiva, acostumada imemorialmente ao "pattern" do branco, suas negociatas e interesses. Deixei seguir, não ia falar disso, estaria em desvantagem. A seu tempo, ambos abrimos os laptops. Eu, para aproveitar o tempo escrevendo o relatório para a companhia. Ela, para ver filme em DVD. Tirou da bolsa um leque deles e pôs-se a escolher.

Parou, virou-se para mim e bateu no meu joelho com o estojo plástico:

— Veja este, é muito bonito.

Agradeci, pus o DVD de lado e voltei ao trabalho.

— Não. Veja agora. Melhor que trabalhar.

Não houve jeito de recusar a imposição ditada com ênfase de pitonisa.

Parei o trabalho, botei o disco para tocar, quando ela fez o mesmo com o seu, entufou os fones de ouvido por baixo do turbante e cerrou os olhos.

"Música", pensei.

O meu já estava rodando além dos letreiros. Era um filme americano mais antigo, uma história de paixão arrebatadora entre dois jovens saindo da adolescência. Ele, rico, ela, filha do açougueiro, os dois em meio aos preconceitos do meio-oeste às vésperas do Crash de 29.

Enfim, o filme devia ser bonito mesmo. A mocinha, apaixonada e reprimida, tem uma crise de nervos e é internada, com enorme sacrifício financeiro dos pais. O rapaz vai para a universidade a contragosto, ambos queimam de desejo não realizado. Mal têm notícias um do outro.

O pai do rapaz rico mata-se com o Crash, a mocinha fica boa e vai em busca do rapaz. Ele se casou, está pobre e tem um filho com uma italiana doméstica, amorosa e grávida pela segunda vez. A moça, elidindo o sofrimento, diz que vai casar-se com um colega recuperado do tratamento. Todos entram em estado de delicada resignação. O sol se põe sobre o Kansas.

Dormi entrecortadamente durante o filme e devo ter perdido as sutilezas do drama. Uma passagem de som ou um solavanco de vácuo, porém, me acordou. Numa aula de inglês leem-se uns belos versos. Voltei o disco para o trecho:

What though the radiance which was once so bright

Be now for ever taken from my sight,
   Though nothing can bring back the hour
Of splendour in the grass, of glory in the flower;
   We will grieve not, rather find
Strength in what remains behind.

São estrofes de Woodworth numa ode.

Estranha vovó nigeriana!
Tiremos forças do que ficou para trás. Eu e você, pequena enferma cuidadosa.

Fim de tarde com leões

Querido enfermeiro cuidadoso,

Digo enfermeiro porque médico não cuida, não afaga, não fecha as feridas, apenas prescreve. E você sempre cuidou das minhas.

Ouço Milonga, do argentino Jorge Cardoso, enquanto escrevo, e revivo nossas disputas divertidas e carinhosas pelo CD Player da sala. "Piano ou violão?", perguntava você, com riso matreiro. Minha opção era previsível: teclas. Você, cordas, e poucas músicas faziam seus olhos brilharem como essa. Acendia um charuto especial "Fideliano" e tomávamos uma taça de espumante na varanda.

Andrezinho morria de ciúmes desse nosso momento de intimidade, um conluio no qual nem ele tinha espaço. Era um ensaio para o que estava por vir em nosso quarto, ou ali mesmo, como você preferia em sua afoiteza (vejo que ela resiste ao tempo e à nossa distância). É excitante me lembrar de seu olhar desejoso, da sua pressa intumescida e ardente que eu controlava ao limite! Saudades...

Você sempre foi mais afoito que eu, mas parece que vem aprendendo a se controlar... que triste. Anos atrás teria enfrentado os advogados com faca na mão para me ver. Teria me feito bem, mas confesso que a ideia de nosso reencontro ainda me assusta, fico perdida com a possibilidade de sentir o seu olhar, mesmo que acolhedor. Não acredito estar ainda preparada para vê-lo e encarar meus próprios medos e culpas.

E tudo isso, "o que ficou para trás", me ajuda, sim, a construir dias melhores. Mas não tenho depressão, ainda sugo de mim mesma energia para seguir o dia a dia sem grandes fardos, apenas surgem momentos de angústia que parecem vir do vazio. Não caio nessa armadilha da percepção, até o vazio tem seu conteúdo, apenas não o encontrei ainda. Por isso, continuo a encher o saco do Dr. Manoel com minhas dúvidas confusas e conflitos incompatíveis com quem chega lá cheia de si, sapato alto, tailleurs impecáveis (ficaria orgulhoso de ver) e

73

uma bossa que não vejo a hora de tirar quando chego em casa. Basta deitar no divã e a maquiagem das aparências se derrete sem cerimônia. E em lágrimas.

Por isso, só encaro a terapia à noite, porque fico um bagaço. Qualquer encontro profissional seria desastroso. Outro dia, resolvi tomar um drinque solitário em um charmoso bar em frente ao consultório do Dr. Manoel. Com a leveza pesada típica do pós-sessão, sentei ao balcão e pedi um dry Martini (finalmente aprendi a apreciar a mais límpida das bebidas).

Logo vi que o barman não me olhava nos olhos e parecia ser de poucas conversas. Puxei todo tipo de assunto, até que uma loura ao meu lado — também a sós —, disse:

— Nem insista, o rapaz é tímido. Eu já fiz de tudo, e simplesmente não rola.

— Não rola o quê? — perguntei.

— Ele é casado, e fiel, entende?

Demorou alguns segundos para eu cair na real — e na gargalhada. Mas logo compreendi o mal-entendido. O tímido rapaz era um Apolo moderno, exalava testosterona e, no balcão, só havia mulheres claramente disputando sua atenção. E eu lá, deslocada do ambiente de paquera e ainda no clima de "recordando a infância" inevitável da terapia. Acabamos a noite rindo, eu e a loura, cujo nome nem lembro.

Concordo com sua interpretação de que é inevitável representarmos um papel na vida, só acho que abusei um pouco disso, e hoje busco o equilíbrio. Que bom saber e sentir que você ainda se deixa provocar por mim, que ainda te inspiro a ser irracional e juvenil, que nem — e principalmente — os negócios te afastam de nós.

Falando em negócios, viu seu sócio Mugabe esbravejando em Roma sobre os "'inimigos neocolonialistas" que querem destruir sua terra natal? Como esses psicopatas conseguem ser tão cara de pau??!! Nos acusar (mundo ocidental) de matar sua bem tratada população de fome? Como se ele não fosse o grande responsável por aniquilar um povo indefeso que finge liderar.

A propósito, continua na África? Essa história de enviar envelopes ao limbo, sem saber aonde eles irão aterrissar e quando, é estranho. Daria um bom filme.

Já te contei que voltei a dançar? Coincidência, ontem vi que a academia está oferecendo um curso de dança afro (nunca se sabe o que isso significa, pode até ser capoeira disfarçada em dançarinos vestindo saias de corda e chapéus estranhos). Dei gargalhadas imaginando você naqueles trajes a fugir da corja de Mugabe e seus facões.

Continue a fugir. Nunca de mim.

eu

Sim, eu gostava de charutos e champanhe. Gostava também do conforto largo e despreocupado do bom salário, do prestígio e da capacidade de mandar. Gostava destes emblemas frívolos, embora veniais. Ficamos imunes a isso? Ou foi só uma fase, uma festa galante pela qual passamos no fim da juventude?

Não responda. Também tenho saudade desse tempo, nem tanto do dinheiro, mas do hiato pacífico que pudemos viver, das alegrias sorvidas minuciosamente, dos desejos mútuos e tácitos.

Sim, já voltei da África. Essa terra lhe mete tanto medo, que você nem leu direito que voltei à base e aqui estou mourejando enquanto você rodopia nas nuvens de um tango ou se insinua (e quer me dizer que inconscientemente) ao barman pedante. Certamente um sujeito revoltado que disfarça com distância e grosseria a condição servil. Provavelmente, veado. "Casado e fiel", ora!

Dance o ritmo afro da academia. Será uma equação estilizada para remover este medo bruto que você quer passar para mim. Entenda que as coisas lá na África podem ser mais calculadas que o esgar publicitário dos dirigentes quando uma câmara de vídeo aponta para eles. Tudo se inverte quando eles apontam armas para os outros. É outra coreografia. Não se preocupe e eu não me preocuparei.

Você está recebendo, com esta, um novo lote de envelopes endereçados. Sinto que seja assim, mas devemos continuar com o que parece ser mais seguro.

Duas coisas curiosas ocorreram ontem.

Depois do almoço fui à sala do Vice-Presidente de Planejamento, Mr. Lidderdale, levando um complemento de gráficos para o relatório da ida à África.

O homem é um sujeito que passou da meia-idade, sólido e largo, não muito alto, e com um bigode ampliado retangularmente sobre uns lábios rosadinhos.

Recebeu-me com uma alegria que recendia a uns tragos de uísque de gaveta.

— E então, nosso homem na África? Pronto para novas missões?

— Às ordens, senhor! — empertiguei-me militarmente, por brincadeira.

— Sente-se ali — empurrou-me, gentil, para uma poltrona tão velha quanto a companhia.

Os ingleses parecem não ter o hábito de aposentar a mobília ou os diretores executivos. Móveis e gente envelhecem sob o brilho meio fosco do verniz, vão mudando de endereço, impressentidamente. Poltrona e Mr. Lidderdale já devem ter passado por todos os recônditos da empresa.

— Escute — disse-me. — Temos umas coisinhas em desenvolvimento com associados no Canadá. Eles têm um "share" no negócio de bauxita e alumínio lá no norte da sua terra. Há planos para uma nova unidade de redução e extrusão de laminados com tecnologia nova. Mas, estão inseguros.

"Sua terra" mostrou-me logo minha condição de exilado aceito, mas não incorporado. "Lá vem", pensei.

— É coisa de expansão da capacidade de produção versus aporte de energia. Ao que parece, os investimentos do governo estão travados ou inertes.

— Hidroelétricas?

— Em parte. Noutra parte, é questão de vetores de distribuição. Há prioridades "primeiras", coisas assim, dizem em Brasília.

— Entendo. No momento há também um contencioso envolvendo impacto ecológico, terras indígenas, assentamentos agrários, o diabo a quatro.

— Sabemos. Mas há geração instalada que nos atenderia, num primeiro momento, até que se destravasse a política para o que está em lenta construção, ou em pendência, ou em estudo de viabilidade. A questão é chegar com linhas até nós.

— Questão de quanto?

— Ah! Para este estágio, calculam pelo menos 1.200 megawatts, se mantida a performance de 14,9 MW/h por tonelada... duas subestações... e 400 quilômetros de linha... pela floresta. Os canadenses integralizariam um terço do investimento, a ser compensado depois que as usinas novas entrassem em operação, naturalmente. A região das fábricas está se conturbando com velocidade. As linhas poderão ser aproveitadas... não iriam gastar só para nos atender.

— Não parece ser tanto, pelo custo-benefício. Houve sondagem mais funda?

— Houve. Afora as prioridades "primeiras", alegam que há em curso um plano de infraestrutura e industrialização que está realinhando projetos. Também não querem mexer no fluxo de rede. Alegam ter dificuldades técnicas na redistribuição.

— Balela. Ano eleitoral que vem aí ou alguém mais lubrificado tem interesse próprio e está jogando na espera...

— Provavelmente... Acha mesmo? Bem... Veja, dê-nos uma olhada na situação. Observe os detalhes, sobretudo os detalhes escondidos que você reconhecerá melhor que nós.

— Posso fazer isso.

— Como está você com eles lá?

Fim de tarde com leões

— Continuo miseravelmente perseguido, mas acredito que me temam — fui sincero.
— Há, há! Bom. Ótimo. De todo modo, a situação não vai durar para sempre, não é mesmo? No que pudermos ajudar...
— Têm ajudado.
— Você merece. Certo. Certo. Sempre apostamos em você — pausou e tive a impressão de que, nesse ponto, a sede pelo uísque da gaveta começou a exigir dele urgência em me despachar.
— Vamos fazer assim — completou, levando-me à porta. — Estude, pesquise, desde logo aja remotamente onde encontrar brecha. Mais adiante, se tudo estiver nivelado, inclusive do seu lado e do deles, você irá até lá. Irá bem apoiado. Vou passar este plano sequência ao pessoal do Canadá.

Impulsionou-me, com tapinhas nas costas, para o corredor. E segui pela passadeira fofa até as escadas guarda-fogo, evitando o elevador, como se já estivesse, mais uma vez, sob tarefa escusa e clandestina.

....

Cheguei à minha sala e, em cerca de 20 minutos, a porta se entreabriu, voltou a fechar, entreabriu-se novamente. Insinuou-se pela abertura alguma coisa parecida com um escovão de cerdas brancas que, a custo, reconheci como o crânio de McFarley. O maluquinho descolorira o cabelo e empinara-o num tufo, deixando ralas as têmporas nacaradas.

— Entre — disse eu.

Ele fez menção de entrar, abrindo mais a abertura da porta, mas recuou, como se puxado por um elástico.

79

Levantei-me e abri a porta toda a tempo de ver que ele estava retido pelo braço de uma moça — a moça dos cabelos pesados que eu vira na lanchonete no dia da chuva, reconheci.

De imediato, ela o soltou e recuou, andando de costas. Fez uma mesura encabulada, girou nos calcanhares e se foi pelo canto do corredor.

— Mas o que se passa, McFarley? — indaguei, menos curioso que desconfortável.

Ele tremelicou, como se o corpo traduzisse uma gagueira, e logo se endireitou.

— Uma palavrinha, senhor.

— A propósito de...? — falei, seco, atendendo ao protocolo de alguma autoridade.

— Desculpe, senhor. É sobre a Mildred...

— Mildred?

— A moça que estava comigo e que fu... fugi... isto é, que se foi.

— O que tem ela?

— Posso entrar, senhor?

— Mas é claro, McFarley. A casa é sua, não é? Sente-se ali e desembuche.

— Obrigado, senhor.

Ele sentou-se e fez uma pausa, olhando em redor como se estivesse pela primeira vez naquela sala. Com a mudança no cabelo, tinha, talvez, novas percepções do ambiente e do mundo.

— Sim? — despertei-o.

— Ah, sim! A Mildred trabalha na seção do pessoal, lá embaixo... — voltou a examinar a sala, inclusive o teto — ela não gosta muito de lá. Fez escola de administração, sabe? Queria mudar.

— E o que eu tenho a ver com isso, McFarley?
Ele inquietou-se na cadeira.
— É que vi que o senhor não tem secretária.
Olhou para o birô desocupado mais ao fundo da sala...
— Ah, meu caro McFarley... você é ótimo observador. A firma já sabe desse seu talento?
Ele acusou o clima de advertência.
— Ora, senhor, pensei...
— Pensou o quê, McFarley?
— Se o senhor não poderia aproveitá-la como secretária...
— Quem disse a você que preciso de secretária, meu jovem?
— Não sei, quer dizer, ninguém disse. Precisa? O senhor precisa?
O birô desocupado era de D. Gladys. Conheci-a logo que cheguei à companhia. Tirou licença para cuidar do marido, prostrado por um derrame e, desde então, não voltou.
Uma secretária me faz alguma falta, não muita, porque puxo o que preciso do servidor de computadores da empresa. Coisas chegam-me impressas: planilhas e gráficos, ordens de serviço para convalidar, contratos. Não ordeno pagamentos — curei-me disso desde os "infaustos acontecimentos" no Ministério. Uma secretária seria interessante para organizar a escassa agenda, empurrar telefonemas para horários mais convenientes... servir café nesta terra do chá? Talvez disfarçar a monotonia austera da sala?
McFarley aguardava uma resposta. Provoquei-o.
— O que você acha, McFarley?
— Eu, senhor? — assustou-se.
— Sim, McFarley, você. Já não falei que você é um Mercúrio, mensageiro e transportador de almas? Deve ter alguma inteligência desta questão.

— Oh! Só sei que o senhor não tem secretária... e a Mildred...

— Ela é sua protegée, McFarley?

Ele enrubesceu.

— Ih! Não! — riu, sem graça. — As moças não fazem meu tipo, senhor.

Também ri. O mocinho deve ter entendido "protegée" por "fiancée". Mas houve espaço na confusão para que declarasse seu status de gay. Desnecessário ter dito.

— Muito bem. Escute, McFarley. É até provável que eu venha a precisar de uma secretária para uns trabalhos que se anunciam.

— Que bom! — ele relaxou.

— Mas não sou eu quem cuida disso, entende?

— Como não, senhor?

— A moça quer alguma vantagem na mudança?

— Vantagem?

— Remuneração, vantagem no salário.

— Ah, sim, senhor, quero dizer, não, senhor. Acho que ela quer só sair da seção do pessoal.

— Por que ela não entrou com você?

— É que ela é tímida, senhor.

— Não é uma boa qualificação para secretária, não é?

— Quero dizer que ela é tímida nesses momentos, senhor.

— Noutros, não, McFarley?

— Noutros, não, senhor. Com certeza, não — ele disse com o "aplomb" de quem quer destacar virtudes. E acrescentou: — Há uma qualidade, senhor: ela fala um pouco de português.

— De Portugal?

— Não. Do Brasil. Ela namorou um brasileiro.

— E você entende isto como uma qualificação, McFarley...

Bom, de qualquer jeito, diga a ela para vir falar comigo.

— Posso fazer isso, senhor. Mas talvez ela se sinta melhor se a conversa não for aqui no prédio.

— Ora essa, por que não?

— O ambiente lá embaixo é um ninho de inveja e mexericos. Alguém que venha aqui em cima... exceto eu, que transito por todos os andares e salas...

— É mesmo, não é, McFarley? Grandes e dignas prerrogativas da função. O que o Mercúrio sugere?

— No fim do expediente, senhor. Há uma lanchonete perto da esquina do estacionamento.

— Conheço a lanchonete. Faz muito barulho.

— Ah, senhor! Seria só um ponto de encontro...

— McFarley, você deveria sair do serviço de mensageiro para o de relações públicas.

— O senhor acha mesmo? Sempre pensei nisso... ou, quem sabe, qualquer coisa artística...

— Caia fora, McFarley. Vou ver se passo lá.

E então? Você que me conhece — ou, ainda mais, é capaz de prever meus passos no palco —, o que acha?

À saída, segui direto para o estacionamento, lembrando-me que deixara no ar que passaria pela lanchonete. E, de súbito, isto me incomodava. Queria descartar a lembrança, mas, ao mesmo tempo, dentro da minha cabeça, ficara um sinal, um "post-it" amarelo, descolado e vagante, chamando-me ao compromisso. Vago e secundário que fosse, ainda assim, um compromisso.

Se você for complacente com este mau ator, creditará ao ócio, ao tédio ou à curiosidade pura e simples o fato de que ele andou ruminando este conflito idiota, um lapso suficiente para retardar os passos e o pôr vítima da tocaia de McFarley.

O cabeça de escova estava à porta da lanchonete, sob um facho de luz, o que o coloria como a um boneco de propaganda. A cabeça do boneco moveu-se, viva, ao me perceber do outro lado da calçada.

— Ah, senhor, que ótimo que veio!

Atravessei a rua.

— Bem, McFarley, eu estava pensando...

— Venha, entre — ele me interrompeu. — A Mildred já está lá dentro.

Vamos ao palco, então.

Entrei, ator vestido de maneira inadequada ao cenário e aos outros personagens.

"O professor do Anjo Azul?", pensei, arrependido.

Nada disso. Todos continuaram suas conversas e ruídos, como se nada tivesse acontecido.

"Dei-me muita importância, como sempre", avaliei.

Mildred estava numa mesa de canto, em face a algum tipo de refrigerante escorrido de groselha. Fez um movimento para levantar-se.

"Impropriedade", anotei secretamente.

— Fique à vontade — atalhei.

McFarley apresentou-nos, com vivacidade.

O que pode ser dito de Miss Mildred? Primeiro (e você já deve estar se indagando isso), é que ela não é exatamente bonita. Bom, nem feia. E há os cabelos, pesados, como eu já observara no dia da chuva. (Sim, foi uma coisa que me impressionou, não discordarei, se você prometer ler o resto.)

Pedi café a uma garota sardenta que servia.

— McFarley disse-me que você fala português...

— "Mucho" pouco, senhor. Só algumas frases e palavras soltas.

— Sim, sei. Não precisa tratar-me por senhor.

— "Mucho obrigado."

— Disse-me também que você está insatisfeita na seção do pessoal.

— Ah! Você falou isto, Fred?

McFarley sungou os ombros.

— Não é a verdade, queridinha?

— Não tem importância — cortei. — Acontece em qualquer lugar.

— Bom, estou mais incomodada que insatisfeita, não sei. Faço o trabalho que me dão.

— E preferiria um trabalho de secretária? Parece ser função abaixo de sua qualificação. Tem estudo de administração?

— Básico. Na verdade, um curso de extensão.

— Ah, bom, entendo...

Entraram dois rapazes barulhentos e McFarley, com uma vênia cômica, pediu licença:

— Se me permitem, chegaram meus amigos. Posso ir ter com eles?

— Fique à vontade, moço. Vá em frente — dispensei-o. Ele se foi, alígero.

Voltei a Mildred. Tem uns trinta, trinta e poucos anos, e, no seu rosto, com pouca maquiagem, apontam marcas de um desgosto difuso, um amargor renitente que se aloja nos cantos da boca, um repuxo que deprime o sorriso social.

Talvez impressão momentânea. Vira já, no dia da chuva, através do vidro, outro tipo de sorriso nela. Um riso mais desenvolto, a cabeça atirada para trás, incensuradamente.

"Ela deve residir entre estes dois extremos", calculei.

Havia as roupas. Corretas e um tanto gastas. As costuras nos ombros do casaquinho de veludo tinham perdido o estique da loja e a textura canelada estava achatada e fosca pela repetição de lavagens e passagens caseiras. Relógio, aneizinhos... banais.

— Quanto tempo passou no Brasil?

— Um fim de ano até o Carnaval.

— Sim, McFarley me disse que você namorou um brasileiro. Namoro de carnaval, curso de idioma?

— Não, já vinha rolando há um tempo. A viagem foi de férias e reencontro.

— Não deu certo?

— Não poderia dar. Ele tem um casamento desequilibrado, mas persistente.

— Ah, bom. Você aprendeu que o casamento em países católicos é uma danação somente comparável à penitência civil do divórcio...

— Em teoria, creio que sim. E o senhor, quer dizer... você... é casado?

"Já fui", ouvi-me dizer.

(Faça uma pausa. Tenha paciência.

Fim de tarde com leões

Naquele momento, meu casamento com você foi coberto por um véu de pudor contra qualquer intromissão. Uma cortina para nossas imagens próprias, como se estas fossem uma pintura delicada, uma projeção de cenas pessoais e intransferíveis. Algo oculto e a ser defendido como única posse verdadeira.)

— Fui casado quando ainda era jovem. Foi um impulso mútuo que não prosperou.

(E dei-me a um silêncio embaraçoso porque foi a primeira vez, em tantos anos, que a figura abstrata de Madalena irrompeu da moldura do meu primeiro casamento para se corporificar bem no meio de uma conversação.)

Mildred inseriu-se educadamente neste pedaço de silêncio, remexendo os fios de groselha com o canudinho. Tomei o café em um longo gole para obstar qualquer interpretação de fragilidade ou melancolia.

Acercou-se McFarley com os dois amigos:

— Nós vamos dar uma esticada por aí. Não quer vir com a Mildred, senhor?

— Obrigado, McFarley. Não tenho sua resistência. Se Miss Mildred quiser acompanhá-los, lamento, mas não devo me opor.

— Posso ir, posso ficar. Não há problema — ela falou, com os olhos fixos na pintura de groselha.

— Ah, não. Deve ir. Divirta-se. Além do mais, para o momento, estamos entendidos. Farei uma requisição para secretária e indicarei seu nome. Sem ônus para a empresa, quero que compreenda.

— Sim, mas é claro. Obrigada.

— Não há de quê. Espero que dê certo, mas devo lhe advertir de que o trabalho é tedioso e desinteressante, e as paredes da sala têm um péssimo tom de pêssego.

— Acho que consigo suportar.

— Muito bem. Veremos.

Pedi a conta, mas, surpreendentemente, McFarley adiantou-se, pagou a nota e pingou moedinhas sonantes de gorjeta na mão da garota sardenta.

— Obrigado, McFarley.

— Não por isso, senhor.

Fui pegar o carro no estacionamento, sentindo-me cansado como se tivesse feito um percurso muito longo em terreno áspero.

De repente, numa só tarde, surgem a perspectiva de voltar a trabalhar no Brasil e uma secretária que fala um português horroroso.

Progrido? Envelheço?

Não, pelo amor de Deus, não me responda estas questões conflitantes.

Beijos.

Fim de tarde com leões

Mildred? Mesmo na Inglaterra, isso é nome de puta, sabia? Você por acaso viu a carteira de identidade da "moça"? Certamente não tem nada parecido escrito por lá, é apenas uma criação própria que, a julgar pelo nível da loura — que precisa se escorar no McFarley para conseguir emprego —, deve ter imaginado ser sensual. Ou pior, juntou dois nomes para criar um. E o pior é que você continua a se seduzir por esse tipo de mulher, que pena. Sua descrição já deixa claro o impacto que ela causou: "não é feia nem bonita... cabelos pesados... marcas de desgosto difuso (ou seja, já está com peninha dela). E ser secretária é o caminho mais previsível para uma escalada social. Antes de continuar minha irritação, mudarei de assunto. Sou mais controlada hoje em dia. Mucha boa sorte para você.

O consolo um pouco aterrorizante que tive foi sua vinda ao Brasil. Quer dizer que vai enfrentar os crocodilos novamente? Nunca achei que teria saco para isso, depois de tudo que passou, todas aquelas cenas mal gravadas de filmes da CIA, com direito inclusive a atentado às nossas vidas? Corajoso você. Eu prefiro me esconder num bairro pacato e longe dos altos salários. Altos e frágeis.

Andei pensando em suas defesas da África. Talvez esteja certo, coloco muito peso nas reportagens da mídia, como se fossem únicas e absolutas, nada mais ingênuo. Quem sabe possamos ir um dia? Mas quero começar devagarzinho, tipo pela África do Sul, depois me aventuro em lugares menos ocidentais. A selvageria — dos animais, digo —, me atrai, sempre quis passar alguns meses fotografando o continente. Aliás, ano passado quase consegui convencer minha chefe de fazermos uns takes por lá, em vão. Adoraram a ideia para uma nova linha de lingerie, mas acabaram montando uma cenografia de quinta cheia de modelos anoréxicos.

Sabe que isso vem se tornando um problema grande para nós? Semana passada tive uma experiência horrenda. Silvia, 14 anos, é uma promessa no mundo da moda, mais ainda para campanhas fotográficas

89

(ainda precisa melhorar bastante na passarela). A menina é linda e a tomei como filha desde os doze, quando foi "descoberta" por um agente. Acho tão hipócritas essas "descobertas". Desde os oito que ela enviava books anuais a esse agente e só ouvia "não". De repente, em momento de escassez, ele nos envia o tal book e aceitamos, aí, de uma hora para outra, o bandido vira mocinho, um caça-talentos infalível. É assim que funciona nesse nosso mundo.

Pois bem, na terça-feira ela chega, como sempre, em cima da hora. Mas notei que havia algo errado. Além de estar com aspecto de doente — que as maquiadoras tiram em minutos —, parecia um pouco blasé demais. Como ela é muito ambiciosa, insistiu em dizer que estava bem, até a segunda sessão interminável de fotos. Do nada, desmaiou e eu a levei a um hospital. Passei a tarde esperando o médico. Quando chegou, disse que o estado de anorexia dela era avançado e a Silvia já havia desenvolvido hipotensão severa e osteoporose!!! Isso sem falar em não ter menstruado nos últimos quatro meses.

Saí de lá me sentindo culpada, por não ter notado que estava mal, mas ela sempre foi tão magra, que nunca imaginei que estivesse com a doença. De volta à agência, conversei com minha chefe e ela — com a distância comum a esses vampiros da beleza — me deu uma longa lista de pessoas que havia sumido de lá pelo mesmo motivo. A maioria estaria ainda internada, e uma delas, morta.

Como eu posso ter sido tão desligada?

Tenho visitado a Silvia todas as noites, e o pior é que tudo que ela consegue me perguntar é se ainda vai poder ser modelo. A saúde não importa, a iminência da morte não vale nada, a única coisa de valor é ser vista e admirada pela beleza. Qual a solução para isso?!?! Sua mãe não sai de lá, chora por tudo e se pergunta onde errou e se deveria ter mesmo estimulado a filha.

O pior é que não vejo qualquer preocupação dos profissionais que lidam com essas meninas em melhorar esse quadro. Tem até estúdio com enfermeiras para atenderem as modelos quando desmaiam, pode? Mundinho ridículo.

E, por falar em ridículo, termino com um pedido inútil, mas incontrolável: fique longe da Mildred. Esse jeitinho tímido de quem quer uma chance para melhorar de vida não cola comigo. Não caia no papo fácil dessa aventureira. E venha logo para o Brasil.

Eu. Sem muito carinho dessa vez. A Mildred me irritou.

Ok. Ok. Ok.

Tomarei cuidado com Mild-Red e quaisquer outros vermelhos de alerta.

Sabe você que, de certo modo, vivemos infectados pela paranoia geral.

Um psiquiatra alemão, hoje em desuso (pergunte ao Dr. Manoel), tinha um axioma bom para essa... digamos... doença: "A crítica se põe a serviço do delírio". Qualquer retificação racional que se imponha ao doente o fará mais renitente e convicto da realidade de sua "fantasia".

Bem, contudo, entre a admissão da moça (fato) e a sua advertência (crítica), o doido aqui também considerou que ela pudesse ser uma espiã infiltrada ou cooptada que, não coincidentemente, fala algo de português e namorou um brasileiro.

Há duas maneiras de verificar a suposta Matha Hari, a tempo de me prevenir de danos.

A primeira é investigá-la além da ficha funcional e registros curriculares. Não conto aqui com ninguém de confiança para a tarefa, além de eu mesmo. Então...

A outra, um ardil comum e eficiente, é expor algumas informações falsas e checar se ela as difundiu e a quem.

Em todo caso, a "moça" assumirá as nobres funções somente em vinte dias.

Até lá, veremos.

Você também está com alguma febre paranoica, talvez a mesma que me assolou desde que iniciaram o processo contra mim. Eu também cheguei a pensar que a tentativa de assalto que sofremos fosse de fato um atentado, ou um ato de intimidação. E, mesmo, cheguei a considerar que o acidente do Andrezinho parecia estranho. Tive que ser bastante frio (num momento em que tudo conspirava para que não o fosse) para admitir a lógica da perícia e a coerência dos testemunhos. Teria sido mais cômodo e menos doloroso injetar-me de delírio para enxergar nos outros a culpa que a mim (e a você) deveria ser atribuída.

Uma coisa, porém, ficou destas suspeitas. Estou sempre com um pé atrás e tomo medidas para antecipar-me. Aprendi o jogo. E jogo duro, mesmo em caso de dúvida. Você pode acreditar.

A ida ao Brasil é coisa que pode demorar, não só por causa de minha situação, mas, também, porque o projeto para os canadenses será moroso, pelas próprias questões técnicas e políticas.

Você não deve imaginar-se na África. Nem pense que a África do Sul, com a miragem de seus hotéis de inúmeras estrelas, possa ser uma transição suave para enfrentar a crueza do solo e da gente.

Você está penalizada com a garotinha anoréxica... O "óbvio ululante" é lhe alertar que você não viu magreza até que enfrente aquela da fome e das doenças africanas. Nas fotografias, é uma coisa. Há nelas sempre algo de perverso estetizado, uma espécie de chantagem humanista. Ao vivo e sob o terror do sol, é coisa para quem tem coragem ou é suficientemente cético com a vida.

Na sua profissão — que deveria ser de sensibilidade feminista —, você percorre um ossário de Lolitas obscenamente macabras. Roupas finas sobre o esqueleto, quase uma alegoria da dança da morte e da luxúria. Folhear estas revistas dá-me sempre a impressão de estar perpassando imagens da peste na Idade Média, evidentemente pela óptica do Castelo.

Já as outras revistas — as de nudez, insensivelmente machistas — são o ideal do açougue, vitrinas com fartura de carne e variados talhos.

Ossos e carnes. A isto parece resumir-se a escolha dos editores.

Ah! Bem. Há a menina... Ela adoece de um mal que é a própria conversão num objeto defeituoso, num brinquedo estragado, ou quando muito num tipo de "pet", um bichinho que inspira piedade, enfermo, incapaz de piruetas que nos divirtam.

Curiosamente, a "verdadeira" e luminosa Lolita, a de Nabokov — Dolores Haze —, morre obscura, de parto, à margem do clímax do romance.

Lamento o amargor. Vamos tentar sobreviver a ele, inclusive.

P.S.: Há eventos que se desenvolvem no Rio de Janeiro e que parecem ser divertidos. Aguarde.

Fim de tarde com leões

Eventos no Rio de Janeiro?? Com o C.A.P.?? Conte-me rapidamente, não vejo a hora de rir do Carlos Alberto, um desejo engasgado há anos. E você não mudou em nada, guardou as tais fotos no restaurante de Paris apenas para pôr em prática um plano tecido em Renascença? Que ótimo! Tadinha da Stella. Tadinha, nada. Será um favor tirar o "Betinho" de sua vida, um dia nos agradecerá.

Isso me faz lembrar do dia em que o Marcelo matou o peixe do Andrezinho, tudo porque havia perdido sistematicamente no videogame. Mesmo tendo apenas oito anos, você não o perdoou e só ficou satisfeito quando, dias depois, ensopou a mochila do menino com sei lá o quê que cheirava a peixe morto, isso não antes de proibi-lo de ir lá em casa. Eu fiquei uma fera, não entendia como um adulto poderia fazer aquilo, mas, hoje, me lembrando da reação de nosso filho, é impossível não rir da situação.

A verdade é que, mesmo que nunca tenhamos dito a ele quem foi o responsável pela arte, antes de dormir, ele disse: "dá um beijão no papai, mãe", bem baixinho e com riso matreiro. Na época, eu não te contei porque estava irritada demais com sua infantilidade.

A grande novidade da semana é que fui violentamente demitida. E por todas as boas razões que levam um chefe a não só te dar as contas, como nunca mais querer vê-lo. A cena merece um conto de Rubem Fonseca, ou Patrícia Melo, qualquer um seria legal, eles têm a mesma acidez.

Tudo começou com mais uma visita no hospital onde a Silvia está internada (ainda grave). Cheguei lá um caco depois de um dia de calor nos estúdios mal aclimatados da agência. Ela aparenta uma fragilidade quase palpável, chora por tudo e por nada, e a mãe continua se culpando por nada e por tudo. Virei uma espécie de terapeuta da família, até porque eles mal se falam, o marido não consegue olhar nos olhos da mulher porque também a culpa.

Sempre achei uma estupidez essa preocupação irreal das duas com o corpo. Mas a Rosa é uma mulher adulta, daí a passar essas futilidades para a Silvia, é imperdoável.

Tento como posso aproximá-los pelo bem da menina, mas precisaria de técnicas terapêuticas avançadas, o problema ali é sério, antigo, enraizado. A única forma de fugir do clima pesado do hospital é conversar com Silvia, sua jovialidade é confortante e parece-me que está, pouco a pouco, compreendendo a gravidade de seu estado. Mas continua a mesma: ri de tudo com uma visão bem poliânica da vida, uma graça.

Voltando à demissão, foi no meio de uma conversa com Silvinha que me confidenciou que a semiassassina da minha chefe foi quem lhe indicou um remédio para emagrecer chamado Bieso. Busquei na internet e vi que contêm o Tiratricol, uma substância condenada aqui e proibida em países como Canadá e Estados Unidos. O Tiratricol pode provocar taquicardia, hipertensão, ataques cardíacos, e há casos, inclusive, de morte súbita. Sem falar nos efeitos psíquicos: insônia, depressão e até psicose!!! Você pode imaginar o escândalo que fiz.

Comecei comedida, perguntei se era verdade — que respondeu "sim" sem pudor — e se outras meninas tomavam esse tipo de droga a partir de seus conselhos profissionais. Num jeito pretensioso e arrogante, consentiu a tudo, mal dando atenção ao que eu dizia e me chamando de ingênua porque essa seria uma prática corriqueira nesse setor.

— Pensa que manter esse bando de bebês mimados nos trilhos é fácil? São adolescentes, adoram porcaria, sorvetes, doces, sem medicamento sairiam do mercado em pouco tempo, deixando um buraco em nossas contas bancárias. Cada mililitro de gordura é uma sessão a menos de fotos, precisamos assegurar o produto até que dê retorno.

Quando tirei dela todas as palavras e confissões, abri a porta e larguei o verbo, acho até que a chamei de assassina. Estava

Fim de tarde com leões

alucinada, mas nada que fosse impensado, afinal, anos com você me ensinaram a tirar o máximo de proveito dessas situações.

Gravei tudo e já passei o material para uma jornalista que conheço e que está se deliciando com a reportagem, não antes, claro, de fazer cópias e enviar ao meu e-mail pessoal, no caso de haver alguma interferência dos editores. Nossa agência é a número dois do país, e os canais de TV dependem de vários de nossos clientes para sobreviver, são grandes anunciantes. Como vê, entrei em seu território, e sabe que você estava certo? Ser espiã é uma delícia.

Amanhã terei uma resposta sobre quando e como essa notícia será veiculada, e já penso no que farei em seguida. Dificilmente terei qualquer chance de trabalho nesse mercado novamente, fiz questão de dar entrevista e deixá-la usar meu nome. Também conversei com os pais de Silvia e com ela própria, todos concordaram em participar, desde que o rosto dela não apareça. A revolta dos dois é tanta, que não pensaram duas vezes.

Quando sair, te mando cópia, caro mestre, assim você avalia a qualidade de meu trabalho.

Enquanto isso, alguma dica do que posso fazer para ganhar dinheiro?

Bjs, da sua, sempre, espiã.

Então, enfim, desempregada!

Creio que o Dr. Manoel ficará animado com o volume de conteúdo e associações a tirar do episódio. Em compensação, ficará apavorado com a perspectiva de levar um calote...

Ah, não! Estes espertos cobram adiantado...

De qualquer modo, em vez do abajur velado (deve haver um no consultório), você estará sob os holofotes. Provavelmente ficará nervosa, angustiada. Vai parar de comer direito. Ficará anoréxica, sem ter tomado Bieso.

Fará companhia à menina Silvia e receberá a desvelada atenção dos pais dela.

Não?

Diga-me como está se desdobrando este escândalo cosmopolita de beleza.

Bom, mesmo assim, você está curiosa sobre os eventos no Rio.

Diferentemente do seu caso, a coisa se passou em *low profile* (mais sussurros que gritos), mas com os efeitos devastadores que os mexericos da corte podem produzir.

A moça que acompanhava C.A.P. em Paris chama-se, de verdade, Maria Abadia Franco. É natural de Goiânia e já fez de tudo que um corpo voluptuoso e jovem pode propiciar e suportar. Há algum tempo adotou o nome artístico de Marina Franchesi. Já com este nome, posou, modelou e exibiu-se em revistas, shows e publicidade.

Conheceu o Valladares numa festa de luxo nos arredores discretos de um rodeio, em Minas. Foi no período em que o Valladares investia a grana subtraída dos cofres da corte carioca em terras e manadas nas Gerais.

Foi amor ao primeiro cheque.

Não se pode dizer que Valladares a tinha como amante — o termo melhor aplicado, ao longo de uns oito meses, seria manteúda. E parece que ela se manteve fiel a este status e, não sei bem, se ao Valladares. Em todo caso, nessa época, nosso *sugar daddy* vivia entre Rio, São Paulo e Minas. A Srta. Franchesi seguia os ritmos destas pontes aéreas, em vizinhanças encortinadas.

Dona Virgínia, mulher do Valladares, ficava sempre em São Paulo, próxima do Albert Einstein, por precaução e prodigalidade médica. Valladares voava.

Logo as comichões artísticas voltaram a assolar o corpo da goiana. No Rio, Valladares usou seus contatos para introduzi-la na televisão. Ela fez umas figurações mudas e algumas cenas de praia em novelas. Não tinha lá muito talento para as artes cênicas, mas, em compensação, excedia na propensão encantadora para a vida social noturna, o que incluía as baladas chiques, as festas em Angra e todas as substâncias cheiráveis, deglutíveis, fumáveis e injetáveis que ornamentam e enriquecem estes ambientes.

Valladares resgatava-a destes transes criativos para uma vida mais apascentada, em fins de tarde no Edifício Chopin, no apartamento já, há muito, esvaziado do convívio familiar.

Bom. Assim foi indo até o dia em que... pimba!

Valladares teve um enfarto em pleno voo na ponte Rio-São Paulo.

Escapou galhardamente, mas ficou cabreiro e muito apegado à Dona Virgínia.

Enquanto isto, nas plagas cariocas, a jovem atriz começou a endividar-se com o aluguel, as roupas necessárias às proclamações de beleza e os subsídios químicos para regozijo mental.

Tentou contatar o querido patrono. Sem êxito imediato, pediu auxílio a uma amiga de profissão em São Paulo.

Esta se apresentou no escritório do Dr. Valladares com uma loquacidade tão escancarada, que a secretária despertou à perspicácia, à cautela e às providências. Apaziguou a visita e a instruiu com os elementos para que a amiga solicitante, no Rio, procurasse o Sr. Carlos Alberto P. Por seu lado, disse a secretária: "Avisaria reservadamente ao Srs. Valladares e C.A.P. das necessidades que se apresentavam".

Foi assim que o C.A.P. herdou Marina Franchesi. E os hábitos de fausto e de outros consumos já convictos na psique e no corpo dela.

Este "prefácio" explica a aparição do casal em Paris, bem como a presença mais constante de Stella em São Paulo, ao lado dos pais doentes.

C.A.P. assumiu as despesas de Marina com base num fundo que Valladares habilitou. Safado como sempre, C.A.P. passou a sonegar de Marina e a apropriar-se de parte dos "proventos". Extorquiu Valladares por mais recursos, sob alegação de que a "moça dispende além da conta, e não se pode dizer que seja reservada". Chantagista.

Marina seguiu sua vida de charmosa vagabundagem.

E...

Há pouco mais de vinte dias, chegou ao Rio, vindo em voos de escalas ziguezagueantes, um jovem nigeriano bonito e elegante como um Denzel Washington. Hospedou-se no Copa e pôs-se a fazer a noite glamorosa. Dizendo-se filho de empresário, mas músico e rebelde por vocação (trabalhando com o "som de raízes africanas e os novos meios eletrônicos"), logo se enturmou na cena artística que vai do baixo Gávea ao baixo Leblon e adjacências progressivas. Forçosamente, encontrou nossa Marina com a habitual sede de curtição. O Denzel estava sempre abastecido do melhor e do mais puro. Formaram um ótimo par noturno, principalmente depois das 23 horas, quando C.A.P., certamente dobrado pelo peso da patifaria diária, desocupava a Srta. M.F.

(Devo lhe dizer agora que recebi estas informações escritas com letra miudíssima e anônima no verso de seis cartões-postais antigos do Rio de Janeiro. Fina ironia do(a) remetente.)

Vamos aos cartões seguintes:

Na noite para a madrugada de um sábado, o porteiro do Chopin, atendendo a pedidos dos vizinhos, e após tentar, sem sucesso, interfonar para o apartamento para saber a razão da barulheira e gritaria, alarmado, chamou a polícia. Curiosamente, atendeu de pronto uma equipe da 13ª DP estacionada ao lado, na frente do Copa. Subiram e encontraram a porta do apartamento semiaberta.

Mr. Denzel estava a vestir a camisa e a Srta. Marina, seminua, apresentava-se em estado de deplorável confusão mental, agressiva, embora.

A Srta. Marina exibia também marcas e sangramento de espancamento recente. O quarto estava revirado e a cama de casal, desfeita e convulsa. No chão, copos e garrafas quebrados. No tampo de uma penteadeira, sinais prováveis de restos de cocaína.

Os policiais envolveram Srta. Marina em um cobertor e custodiaram seu acompanhante. Desceram sob os olhares contrafeitos de alguns moradores e foram ao carro. Um deles enfiou-se no banco de trás com a agitada Marina Franchesi. Ela gritava: "Mas eu paguei, porra, eu paguei!". O outro, parlamentando com Mr. Denzel, adentrou o Copa pelo lado da pérgola. Esse policial voltou sozinho e o carro arrancou.

Vinte minutos depois, chegou uma viatura da PF. Os agentes conversaram com o porteiro do Chopin e seguiram para a rua Paula Freitas, onde encontraram estacionado um automóvel Audi de propriedade do Sr. C.A.P.

Uma busca sumária revelou, sob o extintor de incêndio, um pacote de cocaína com cerca de um quilo e meio. Os agentes já providenciavam o reboque do carro quando chegou à cena um descabelado e aturdido Sr. C.A.P., que, de imediato, foi algemado e conduzido à viatura policial.

O último cartão dá conta de que a Srta. Marina tinha cópia da chave do apartamento fornecida por Valladares (desconfio que não) ou a tinha por contrafação de cópia em poder de C.A.P. (mais verossímil), e que o porteiro não obstou a entrada, dada a habitual frequência dela em companhia de ambos os cavalheiros.

Em qualquer situação, agora vem o mais grave: Valladares escondia no oco de uma das colunas de latão da cama de casal, enrolado em um tubo de veludo, uma coleção de diamantes que ele foi presenteando Stella desde que ela fez quinze anos. Na outra coluna, ficava uma gargantilha de esmeraldas de Dona Virgínia, lembrança de família.

Stella revelou a C.A.P. o esconderijo? C.A.P. mostrou a Marina estes tesouros? Talvez em algum momento de elação farmacoquímica ou de exibicionismo?

Difícil saber. Imagina-se que Mr. Denzel engoliu os diamantes e pagou seu pedágio de saída com a gargantilha. *Sic transit gloria mundi!*

Mr Denzel é um escorregadio portador de dois passaportes, absolutamente verdadeiros. Deve estar contando, alhures, que o Rio de Janeiro é mesmo uma cidade maravilhosa e que as polícias, lá, são espantosamente orgânicas e concatenadas.

(Fim dos cartões).

Não tenho notícias do C.A.P., mas sei que ele sumiu do trabalho e não sei se voltará a ele. Estão escondendo estas coisas da Dona Virgínia, mas a Stella foi avisada pela própria PF. Valladares estava tomando forças para ir ao Rio, com médico e advogados.

Estas foram as notícias da corte.

Tire de sua cabeça que eu possa ter algo a ver com isto. Juro pela alma da mãe do C.A.P. que sou inocente da lama deste filisteu.

P.S.: Não procure emprego. Um vai achar você.

Fim de tarde com leões

Que delícia!! Adoro quando os homens tropeçam na cabeça de baixo. O mundo está cheio de Abadias, ou Franchesis, como preferir, e algumas sabem muito bem como levar um macho à bancarrota, nem que seja apenas a moral. Mas, daí a imaginar que o C.A.P. levasse para casa restos do Valladares, é uma surpresa. Ele sempre se gabou de seus dons de sedução — nos quais jamais acreditei, devo dizer.

Então, o Carlos Alberto era traficante também? Um quilo e meio de cocaína não pode ser apenas para consumo próprio, no mínimo vendia à escória com quem sempre conviveu no Rio. Pobre Stella, perder o marido, nesse caso, despejá-lo, nem é tão ruim, mas as joias de família? Isso deve doer, ela é tão "família-tradição".

Lembro o dia em que me apresentou seu apartamento. Passei mais tempo ouvindo suas histórias de avós e bisavós, representados em cristais e porcelanas, que conhecendo o espaço. E seus olhos brilhavam. As vagabundas do C.A.P. ela vai perdoar, mas ver seu DNA simbólico desaparecer assim, nunca!

Quanto à sua não responsabilidade por toda lambança carioca, vou fingir que acredito. Essa história de cartões-postais eu conheço bem. Querido, isso tem, inegavelmente, sua assinatura. Que você continue a ser o amor de minha vida, e nunca me mande cartões-postais.

A vida de desempregada é uma contradição, pelo menos até que eu encontre um norte. O dia tem tido uma média de 435 horas, isso quando durmo muito (o que nunca acontece). Acordo cheia de planos, mas, de alguma forma, a noite chega sem grandes realizações.

A contradição vem do fato de que quando eu trabalhava insanamente, vivia mendigando minutos de lazer para trabalhar em hobbies, ler, ir ao cinema, e sempre encaixava essas atividades no dia a dia. Agora, tenho todo tempo livre do mundo e não sei o que fazer com ele. Definitivamente, o ócio é o maior inimigo da ação e irmão gêmeo do tédio.

Pelo menos o apartamento agora está em ordem, andava de cabeça para baixo. Passei uns dias paranoicos na casa da Marcela,

105

uma colega de trabalho que virou grande amiga durante os três anos em que estive na agência. Mostrou-se fiel durante os escândalos que ainda frutificam. É que nos dias mais intensos, os de telefonemas anônimos, tive medo de ficar sozinha, e fui dormir com ela até entrar em paz com minha própria sombra.

Dr. Manoel acha que o medo tem outras origens, claro, mas não estou pronta para mergulhar nessa história, prefiro continuar me divertindo com os desdobramentos do que a mídia passou a chamar de "escândalo da anorexia". Achei o título péssimo, mas eles estão descascando o setor da moda e não poupam ninguém.

Marcela me mantém atualizada sobre os bochichos internos da agência. Dizem que minha ex-chefe foi transferida para Nova York — bela punição, hein? Cuida agora de assuntos comerciais, não lida diretamente com as meninas, pelo menos isso. Assim que tiver a confirmação, passarei à minha amiga do jornal, mas ela já está indo atrás, seria o máximo mostrar mais esse descaso (e descuido) deles.

O Ministério Público, como sempre faz em casos de máxima visibilidade, já abriu sei lá quantos inquéritos. Todos os dias, nomes diferentes aparecem nas manchetes, figurões da moda, todos alegam que "tomarão as medidas cabíveis" para punir irresponsáveis que estariam negligenciando a saúde de adolescentes. Tudo gente do bem, anjos do apocalipse.

Depois da primeira semana, me distanciei do assunto e não povoo mais o noticiário, privilégio que minha amiga jornalista me concedeu quando viu que eu já estava à beira de um "breakdown".

A Silvinha finalmente melhora, mas estamos mantendo a mídia distante porque ela se estressou demais com essa história. Ainda não sabemos que sequelas a anorexia deixará, e o médico já disse que o tratamento psicológico será para o resto da vida.

E você? Tem contado muito da vida dos outros, sempre narrações impecáveis, mas sinto-o longe. Divertindo-se com a Mildred?

Talvez ela tenha ido encontrá-lo para tratar de assuntos de agenda? Por favor, não deixe que ela a preencha com prazeres de quaisquer tipos. Prometa.

Eu sei, eu sei, estou naqueles ataques inglórios de ciúme, mas o que há de novo nisso?

Saudades,

Eu.

Acordei com uma dor no coração hoje. Não, não se trata do físico, é puramente metafórico. Foi a Mildred, sonhei com a infeliz. Ela era linda, um mulherão de fechar o comércio, e pior, doce. Você nos apresentava em uma mesa de restaurante, como se fosse a coisa mais natural do mundo. Eu respirava fundo e dava uma de lady, como você sempre me ensinou em momentos de crise.

Durante o almoço, me mantive calma, você, não. Balançava a perna como louco, parecia costureira sob pressão, e mal me olhava nos olhos. Tranquila, Mildred não parecia saber quem eu era, talvez uma amiga dos tempos em que você lecionou na faculdade.

Como toda prostí que se preze, te tratava com certa frieza e polidez, uma mera colega de trabalho. Até que cometeu um infeliz deslize, a famosa gota d'água que me transformou em um monstro. Estávamos esperando a conta quando ela pediu uma taça de Alizé Gold Passion. A cena de uma lambisgoia tomando seu licor favorito me deixou descontrolada. Veio à mente a lembrança da primeira vez que tomei esse licor com você na França depois de uma longa noite de amor. Naquele dia você me pediu em casamento e quis comemorar meu sim com o Gold Passion. "Nada mais apropriado", disse, colocando-me no colo.

Chorando descompensadamente, saí do restaurante, e voltei da esquina da rua, indignada porque você não havia me seguido. Felizmente para todos nós, acordei nesse momento, Deus sabe o que eu teria feito com o ridículo casal.

O problema é que só consegui sair da cama às três da tarde, tamanha a tristeza que senti. Por mais que soubesse que era um sonho, a verdade é que nunca superei aquela história que vivemos com a Viviane (mal consigo escrever esse nome). Sei que foi mais paranoia minha que qualquer coisa, mas doeu, e tudo voltou hoje com a imagem da Mildred.

Precisamos nos ver, estou muito insegura. Finjo que essas cartas são inofensivas, mas não são. Trazem à tona meu amor por você, a

Fim de tarde com leões

paixão que nunca nos deixou esquecer um do outro, o medo de mexer no que estava quieto e um imenso desejo de retomar nossa vida a dois. O que fazer?

Escreva logo, por favor...

"Não há motivo para assustar-se. Só alguma cautela." Foi isso o que me disse o Dr. Rahula Chantaka, e é o que lhe digo agora, após ter assumido o preceito deste indiano... médico e jovem.

Foi um incômodo logo após o almoço. Uma dor intensa acima do estômago, algo como um choque nervoso que se irradiava em ondas pelo plexo. De volta ao trabalho, no elevador, a coisa aumentou, comecei a suar nas palmas das mãos e senti as pernas fracas. Cheguei à minha sala e sentei-me. O mal-estar arrefeceu, mas a dor persistiu, associada a uma espécie de azia, uma sensação de engulho.

Rabisquei uma nota para a Mildred (sim, ela começou a trabalhar): "Fui ao médico. Volto logo. Segure os telefonemas".

Peguei um táxi e fui ao centro médico que tem convênio com a firma. Já estivera lá para check-up sumário, vacinas para África, exames preventivos de próstata, essas coisas.

Há uma máxima médica (talvez mais importante que o juramento a Hipócrates) que reza: "Mais vale morrer segundo os procedimentos que viver em menoscabo deles". Isto devia estar emoldurado em algum canto da recepção — aonde eu havia chegado pelos meus próprios pés —, porquanto logo fui colocado numa cadeira de rodas e enfiado por um corredor, desinfetado e perfumoso como uma sauna, até uma salinha de ambulatório. Estavam comigo, então, um jovem interno, branco como uma vela e ruivo como uma atrizinha dos anos 1950 e uma enfermeira velhusca e prática em desfazer-me das roupas e envelopar-me naquela camisola de péssimo azul, vazada nas costas: como se todos os olhares clínicos devessem endereçar-se aos meus posteriores. Deitaram-me na exígua maca de exame e minhas costas suadas grudaram no forro plástico. "Estou perdido", pensei: "nem se deram ao trabalho de meter um lençol sobre a maca".

Roupas, sapatos, celular, relógio, carteira e chaves foram lacrados em sacos plásticos sanitizados e rotulados com meu nome. Ideias mortuárias voaram lentas dentro de minha cabeça.

A porta abriu-se para o Dr. Rahula.

— Ah! Boa tarde — disse ele abrindo um sorriso confiante de dentes desiguais.

Creio que ficou feliz em encontrar, sob minha palidez, alguém com a cor da pele próxima ao seu matiz.

Grunhi um "boa tarde" propositadamente doentio.

— Que temos aqui? — ele expeliu a frase clássica de abertura.

Eu recitei um resumo.

— E como se sente agora?

— Ainda sinto dor.

"Hã, hã", assentiu, começando os trabalhos de estetoscópio e de tensiômetro. Arregalou-me os olhos. Apertou meus dedos das mãos e dos pés.

— Tenho ficha aqui, se isso adianta — meti-me.

— Sim, sim. Sei.

Foi ao computador e checou a papeleta de minha admissão com os dados que piscaram verdes na telinha.

— E, então? — eu quis saber.

Ele não pareceu ou não desejou ter ouvido a pergunta. Introduziu mais coisas no teclado e a telinha desceu mais uma cortina de letrinhas fosforescentes.

Voltou-se para mim:

— Vamos passar uma medicação preventiva. Algo leve, só para controle. O senhor fará exames e monitoração

cardíaca. Vi que não há histórico desse tipo de ocorrência em sua ficha. Pelo menos aqui. Já teve estes sintomas antes?
— Não.
— Muito bem. Não há motivo para assustar-se. Só alguma cautela.
— Então vai liberar-me após o remédio?
— Ah, não, não. Fará os exames em seguida e iniciaremos aqui mesmo uma monitoração de umas 16 horas. Providenciarei um quarto e o senhor ficará em repouso.
— Deitado, o senhor quer dizer?
Ele exibiu a fileira desarrumada de dentes:
— Será mais confortável, ao menos para os aparelhos, que ficam ao lado da cama. Vai tomar soro com o medicamento também. Será por pouco tempo. Rotina, sabe?
E acrescentou:
— Tem TV a cabo no quarto. E frigobar. Infelizmente não temos álcool esta semana. Má sorte, não é?
"Má sorte, de fato", concordei, sem creditar o azar à falta de álcool.
Bom. Foi assim que iniciei meu passeio pelo simulacro de um Hades habitado por alienígenas científicos que me escanearam, sugaram-me sangue, espetaram-me, apalparam meu ventre e me submeteram às experiências mais vexatórias, até que fui levado a um quarto em nada diferente daqueles de hotéis simples e práticos, à exceção das tralhas de cabeceira às quais seria plugado por fios e tubos.
Dr. Rahula acompanhou-me nestes momentos de instalação, permitindo que, antes, eu esvaziasse a bexiga:
— Encha isto, por favor — ele falou. — Vamos aproveitar a ocasião propícia.

Fim de tarde com leões

Urinei aos arrancos, mais de nervosismo, tentando acertar a pontaria no tubo.

Uma enfermeira recolheu o tubo, com desinteresse profissional.

— Estarei por aqui. Hoje é meu plantão. Chame-me se precisar — despediu-se Rahula, apontando com ênfase a campainha de chamada, como se ela fosse o equipamento mais importante do quarto.

Saíram todos, como atores no fim do segundo ato. Peguei o remoto e liguei a tevê de parede, muda.

Caí no sono.

Despertei sob a luz cambiante da televisão, com o quarto na penumbra. Algo se movia à esquerda, quase fora do ângulo de visão. Voltei-me, e enxerguei um vulto que começou a se desenhar melhor, no sofá do acompanhante.

Achei o botão da luz de cabeceira. Ao mesmo tempo, o vulto pronunciou-se em voz feminina:

— Boa noite. Como se sente?

Era Mildred, em vias de levantar-se e acercar-se da cama.

— O que diabos você faz aqui? — falei com uma rudeza que não se espera num doente.

— Ah... desculpe-me — ela disse, retrocedendo ao sofá. — Li seu bilhete e fiquei preocupada. Logo depois, Mr. Lidderdale ligou à sua procura. Tomei a liberdade de dizer que você fora ao médico. Então, esperei até o fim do expediente que você retornasse.

— Que horas são agora? — interrompi.

— Cerca de 21 horas... Bom, ainda alcancei Mr. Lidderdale na sala. Ele disse que viesse até aqui. Liguei antes e disseram-me que o haviam internado. Falei com seu médico... esse Dr. Raoul...

— Rahula. É indiano...

— Indiano... Bem. Ele me tranquilizou. Disse que eram exames simples. Avisei Mr. Lidderdale.

— Ele lhe mandou aqui ainda assim?

— Não.

— Não havia necessidade de você vir. Eu ia ligar para a firma, mas não houve tempo e, logo depois, dormi. Obrigado.

— Não há de quê.

— É tarde. Como vai voltar para casa?

— O Fred vem me pegar de moto. Não há problema.

"Fred, o transportador de almas...", murmurei.

— Ahn?

Não expliquei. Ela acomodou-se no sofá alternando o olhar entre a televisão muda e os aparelhos e fios. Senti-me desconfortável, ansiando por minhas roupas.

— Trouxe sua correspondência — ela colheu um atado de uma sacola.

— Sim? Por quê?

— Perguntei se havia restrição médica antes. Disseram que não. Podem distrair. Quando fico doente gosto de ler...

Ela abriu o maço em leque.

— Quer todas? — ela abanou o leque, com alguma brejeirice.

— Não. Quero somente as duas dos envelopes verdes, por favor — pedi, identificando suas cartas na sequência. — O resto leve de volta ao escritório.

— Certo — ela estendeu as cartas para a minha mão livre de tubos, e voltou ao sofá.

— Pode ir agora, Mildred — tentei despachá-la para poder ler as cartas em paz.

— Logo, logo. O Fred deve estar chegando. Se não se incomoda, queria esperar aqui. É meio chato ficar na calçada esperando. Entende?

— Ah, sim — resignei-me por educação, embora irritado.

Poderia esperar que ela se fosse para ler as cartas. Mas fiquei curioso com a chegada de duas cartas: qual a urgência ou significado de duas cartas na mesma remessa? Encostei-me como pude para o lado da luz e abri os envelopes, tentando ignorar Mildred. Ela olhava a tevê.

Ri em silêncio, procurando disfarçar a graça que achei nas cartas.

Seria bom (se eu fosse ainda jovem e provocador — e se não estivesse acamado) vencer o limite da posição de chefe, impor uma intimidade perversa e erótica e me permitir ler em voz alta suas declarações de amor e sobretudo de ciúmes. Gostaria de ver a cara de Miss Mildred em face destas confissões e, especialmente, o estupor dela na passagem que fala do Alizé Gold Passion...

Mas, nada disso. Incomodava-me mais a presença de outra mulher, no mesmo quarto, eu na cama, quase desvestido, lendo o seu amor e nossas glórias e percalços, sob o olhar oblíquo dela — um olhar a qualquer momento capaz de alguma sagacidade que poderia ir além das qualidades secretariais...

Apressei-me em terminar de ler as cartas, desejando, embora, uma segunda e terceira leitura, e consegui enfiá-las por baixo do travesseiro.

Houve um barulho estranho, um grunhido que, sob terror, imaginei vir de um dos aparelhos, em resposta a alguma anomalia minha ou de meus pensamentos. Era apenas o celular de Mildred vibrando.

— Era o Fred. Ele chegou. Devo ir. Precisa de alguma coisa? — ela indagou, aproximando-se da cama.

— Não creio, obrigado. De qualquer maneira, tenho uma ligação direta com o Ministro da Saúde da Índia, brinquei, apontando a campainha.

— Ah. Muito bom. Vejo que está melhor. Não disse que ler lhe faria bem?

Ela alisou a coberta da cama com alguma atitude de carinho.

— Então, boa noite.

— Boa noite. Até amanhã.

Quis voltar às cartas, mas as havia enfiado fundo e a tarefa de retirá-las de sob o travesseiro era dificultada pelos tubos e fios. Sentia-me, também, cansado, meio sonolento. "Remédios no soro", pensei. Abandonei-me ao sono.

Despertei com a entrada dos atores para o terceiro ato: Dr. Rahula, dois enfermeiros, alguém com uma bandeja: copeira.

Dr. Rahula: "Bom dia, bom dia."

(Anotei que ele tem mania de falar as coisas duas vezes.)

Eu: "Bom dia, bom dia, bom dia, mais um bom dia... aos quatro."

Dr. Rahula: "Ah, ah. Muito bom. Noto que suas cores estão bem melhores."

Eu: "Tenho mais de uma cor, doutor? O que significa?"

Dr. Rahula: "Significa que está de melhor humor. Também do ponto de vista dos humores fisiológicos."

Eu: "É um consolo."

Dr. Rahula: "Não, não, meu caro: é um começo."

Enfermeiro: "Posso desligar, doutor?"

Dr. Rahula: "Claro, claro. Desconectem o homem. Já arrancamos todos os segredos enquanto ele dormia."

Fim de tarde com leões

Copeira (estendendo-me a bandeja com suco e torradas): Café ou chá?

Eu (olhando com indagação para Dr. Rahula): "Café... posso?"

Dr. Rahula: "Pode. Já deve estar no seu DNA."

Outro enfermeiro: "O soro também, Dr.?"

Dr. Rahula: "Também. Já não precisa disso. Tem o café. Recolham a tralha e caiam fora. Vou conversar com o homem aqui."

(*Exeunt*, enfermeiros, copeira)

Eu: "E então, doutor?"

Dr. Rahula: "Tenho duas notícias..."

Eu: "Diga logo a ruim."

Dr. Rahula: "Ora, ora. A primeira é que não há notícia ruim."

Eu: "?"

Dr. Rahula: "A segunda é que terminou meu plantão. Passam das onze..."

Eu: "Já?"

Dr. Rahula (espichando-se no sofá e apoiando os pés numa escadinha ao pé do leito): "... e tenho fome. Coma você um pouco destas coisas. Tome um banho, vista-se. Vamos dar uma volta num parque aqui perto. Caminhando, eu lhe passo a receita. Depois, vamos almoçar e eu completo minha consulta, in loco, com a sua dieta."

Eu (sem discutir, nem pestanejar): "Feito."

Andando ao longo de uma aleia, pelo cascalho:

— Vou ser direto — ele falou olhando distraidamente as folhas secas no caminho. — Você tem uma arritmia que não é assim tão grave, seu colesterol está meio alto e os triglicérides estão fora do padrão desejável para sua idade. Imagino que leve uma vida a que chamam de estressante, mas acostumou-se a ela e até morreria de tédio se não fosse assim, não é mesmo?

— Em tese, é isso mesmo.

— Pois bem. O que se passou ontem foi apenas um ponto de exclamação do corpo, à falta de seus ouvidos para ouvir toda a frase que ele quer lhe dizer.

— E que frase é esta? É de algum autor célebre?

— Como posso saber? Não tenho seus ouvidos.

— Que devo fazer?

— Vamos ver de outra maneira. Qual é sua expectativa de vida?

— Isto é vago. Estou tentando processar algumas coisas... tenho planos...

— Não, não. Quantidade. Quanto pretende viver?

— Não trouxe a máquina de calcular. Há algum *gadget* médico para isto?

— Fez esportes?

— Futebol, natação. Tentei squash na idade madura, mas os parceiros eram uma corja de filhos da puta...

— Entendo. E sexo?

— O que vem a ser isso?

Ele riu. Apanhou um graveto na beira da estradinha e atirou-o como se a um cachorro imaginário buscador de prendas.

— O senhor sabe... Nasci em Patna, no Norte, e, ainda adolescente, saímos de lá, eu e a família, a pé, até Bombaim, seguindo ao longo das estradas de ferro...

— Patna... Patna... Não era esse o nome do navio abandonado por Lord Jim?

— Ah, sim. Pois é. Fizemos ambos as estradas da redenção. O inglês, por remorso; eu, por ambição. Trabalhei como criado para uma família inglesa, remanescente da glória colonial. Estudei. Vim para a Inglaterra com eles. Formei-me.

— Longo caminho.

— Pois é. Quanto você calça?

— Por que quer saber?

— Quanto?

— Aqui, nove e meio.

— Muito bem. Digamos que queira viver mais uns vinte e cinco, trinta anos...

— Pensava mais num tipo de imortalidade. Física. Nada espiritualmente marcante.

— Isto está fora de estoque desde o século passado. Mas, olhe aqui. A praxe recomendaria uma série de exames, alguns invasivos e que sempre envolvem riscos. Colegas meus seguiriam o manual e iriam fazer de sua vida um purgatório. Você, se desejar, pode seguir esta linha, mas, sinceramente, acho que não iria aguentar.

— Ou?

— Vou lhe receitar estatinas, por um período curto, e um par de tênis tamanho dez com meias grossas acolchoadas. Você vai andar. Deixe o carro na garagem. Ande os próximos trinta anos a distância equivalente entre Patna e Bombaim, ida e volta, quantas vezes for possível. Conte-me o resultado, se os plantões no hospital não me tiverem matado até então.

— Estatinas e caminhadas. Não há uma contradição entre o estático da substância e a ação de caminhar?

— E o que você queria de um médico indiano? Há todo um clichê dos paradoxos, até do yin-yang, essas coisas...

— Muito bem, muito bem — imitei suas duplicações.

— E vamos à dieta. A leste, abaixo da colina, passado aquele banhado orlado de salgueiros, há um restaurante em que servem saladas e linguado. Você vai passar a comer peixe até criar escamas.

— Obrigado. A perspectiva é boa, meu caro. Não sei se se conhecem peixes com trinta anos de sobrevivência e que calçam tênis.

Após o almoço e com a assistência clínica de Dr. Rahula, comprei um par de tênis absolutamente juvenil e estapafúrdio.

— Aqui tem meu cartão com telefones, *e-mail* e tudo. Contate-me se sentir algo ou se os tênis lhe fizerem calos. Estão na garantia — ele despediu-se.

Fui para o escritório e entrei direto na sala de Mr. Lidderdale. Ele olhou a caixa sob meu braço:

— Olá, meu bravo legionário! O que tem aí? Um coração novo?

— Foi o que o médico disse.

— Já tive notícias suas pela manhã. Tudo bem, então?

— Pelos próximos vinte e cinco, trinta anos, parece.

— Procurei você ontem, mas eram só boas novas. Coisas do Canadá. Gostaram de suas primeiras ações para desembaraçar o caminho. Não precisa me dizer como conseguiu. Aqui, muito reservadamente: acharam o preço palatável, mas têm dificuldades com o *modus operandi*.

— Diga para não se meterem a dar soluções. Aguardem a solução apresentada pelos interessados. Eles sabem os caminhos mais suaves.

— Farei isso. Obrigado. Não quer ir para casa, descansar?

— Não preciso. Dormi muito no hospital.

— Ok. Tenha uma boa tarde.

E então, indo para minha sala, tive um estalo. Suas cartas! Esquecera-as sob o travesseiro.

Irrompi na sala e encontrei Mildred.

— Preciso voltar ao hospital.

— Por quê?

— Esqueci algo lá...

— Sim, sei. O hospital ligou. Mandei o Fred buscar. Estão aqui.

Ela tirou as duas cartas da gaveta dela. O certo não teria sido colocá-las sobre a minha mesa?

Arrebatei as cartas, bruscamente. Logo notei que as cartas estavam em envelopes trocados.

— Alguém mexeu nisto?

— Certamente que não. Os envelopes vieram num saco plástico lacrado e etiquetado pelo hospital.

— E onde está esse saco plástico?

— Aqui, na cesta de lixo. Tirei os envelopes dele para que você não tivesse más recordações da noite no hospital. Guardei as cartas na minha gaveta porque os estavam abertos e seu birô estava trancado. Fiz mal?

— Digamos que não. Mas, na próxima vez, não mexa nem abra minha correspondência, se me faz o favor.

— Mas não o fiz, é claro. Queira desculpar-me.

Talvez eu mesmo tenha trocado as cartas nos envelope. Não sei. Saberei?

Devemos aguardar o próximo capítulo das aventuras de Mild-Red?

Sei apenas que amanhã, logo cedo, estarei inaugurando meus espetaculares tênis e percorrendo o caminho espiritual de Patna a Bombaim. Eu, Lord Jim e o rapazote Rahula Chantaka.

Teu, amoroso, sobrevivente.

P.S.: Estou remetendo esta carta para o endereço habitual, pelo portador de sempre.

Não tenho o endereço de Marcela, seu refúgio ocasional. O portador, contudo, é sujeito esperto e experimentado em buscas, e estou tranquilo que ele encontrará você, de qualquer modo.

Fim de tarde com leões

Querido paciente,

Você caminhando diariamente? Eis uma cena que gostaria de ver. Sempre me contou sobre seus tempos de gols e cortadas indefensáveis, mas, depois de minha convivência com sua preguiça e apego à nossa rede vermelha da varanda, deixei de acreditar que algum dia você praticou esportes. Mais ainda quando eu — a tal corja a que se referiu ao Dr. Chantaka — tentei ensiná-lo squash. Nunca imaginei que tinha ficado com tanta raiva assim, só porque eu ganhei, sistematicamente, todas as partidas? Mas foram apenas duas semanas de tentativas, e você, em seu mau humor de quem está acostumado a pôr políticos e executivos de todo o mundo no bolso com três segundos de conversa, não aguentou. E ainda teve a cara de pau de inventar uma luxação que não sarou até hoje. Espero que os tênis novos te ajudem a superar a inércia. São coloridos?

Depois do susto inicial, quando li sua descrição dos sintomas — que, para mim, eram de um infarto, me diverti com a sua incursão pela medicina indiana. Esse pessoal é esperto, tem outro "approach" para a saúde, evita químicos, acredita em carma e na limpeza espiritual mediante um mergulho no rio mais poluído do mundo. Pelo menos troca uma consulta de cinco minutos por uma caminhada sem compromisso e um bate-papo despretensioso, certamente mais eficaz que ordens dadas pelos semideuses ocidentais. Que bom ele não ter se influenciado por nossos métodos medicinais. Os dos ingleses, então, são bem piores.

Gostaria de participar desse seu momento saúde, com peixe diário e suor (esse eu conheço bem, mas provocados por exercícios menos nobres).

E por falar em sexo, um assunto de seu profundo interesse, caí numa armadilha hilária na semana passada. Por indicação de um colega, recebi uma proposta de um freelance para fazer retratos, pelo menos foi o que disse o tal Emmerson que me telefonou. Achei ótimo, e fui na manhã seguinte a um bairro um pouco distante, mas nada revelador do que me aguardava.

Chego lá, me colocam numa sala de espera mofada e, dez minutos mais tarde, chega o tal Emmerson, um senhor baixo, franzino, cansado de guerra, que não tirava o cigarro da boca e fedia a tabaco.

— Conheço bem o seu trabalho, tenho amigos no mercado da moda. Sei que você consegue tirar até celulite de velho, e sem Photoshop.

Caí na gargalhada, numa tinha ouvido essa descrição de meu trabalho.

— É o que dizem, mas minha fama é inflada, difícil é encontrar bons fotógrafos de gente, exige paciência para lidar com os egos das pessoas. Se você fica bem, vira o melhor amigo, se o ângulo não valoriza, é inimigo imediato e para o resto da vida.

Com essa introdução, Emmerson me conduziu ao "set", que só naquele momento soube que era de filmagens. De repente, me vejo olhando, absorta, para o maior pau do universo, e o mais preto do mundo. Lá estava eu contratada para clicar um filme pornô.

Fiquei sem ação enquanto o ator negro aguardava, com a mão estendida, a minha. Pensei no que ele havia apalpado antes e disse "oi" com a cabeça e um sorriso meia boca, fingindo estar ocupada com os equipamentos.

Por alguns instantes, pensei em dar meia-volta, mas resolvi deixar meu moralismo de lado e montei a parafernália com a ajuda de todos. Descobri que esse pessoal é divertido, ficam todos andando de um lado para o outro, nus, por dentro e por fora, levam a vida menos a sério que nós, com exceção da estrela que, como toda protagonista, se manteve afastada da ralé, incluindo eu.

Descobri também que fazer fotos de arte é dificílimo quando você tem que lidar com líquidos, gemidos e posições pouco ortodoxas. A concentração vai para o beleléu. Como eu não podia atrapalhar as filmagens, corria de um lado ao outro em busca dos melhores ângulos, e também os menos chocantes.

A tal estrela, Stephanne, não era tão maravilhosa, tinha sim muita celulite do lado das pernas e isso limitava meu trabalho. O Emmerson está certo, eu detesto ter que recorrer ao Photoshop, mais por preguiça em lidar com o programa que qualquer outra coisa, prefiro entregar as fotos no cru.

Fim de tarde com leões

Engraçado foi observar as técnicas do negão para manter seu pênis ereto. Vez por outra se irritava com a Stéphanne e tinha que recorrer ao autoestímulo para voltar ao estado anterior à discussão. A mulher era cheia de regras, parecia prostituta que não beija. E o diretor era um grosso, o único que tinha coragem de colocá-la em seu devido lugar: a de atriz pornô de segunda categoria.

Foram nove horas de calor e quase mil fotografias tiradas, todas a ser enviadas no dia seguinte pela manhã para eles usarem no site, ou seja, passaria a noite em claro. Eram quase 8 da noite quando saí do set morrendo de rir com o negão (nunca soube seu nome, mas me parece que é figura conhecida no submundo do sexo). Quando terminei de guardar os equipamentos, e eles de filmar, veio em minha direção e, mais uma vez, estendeu a mão direita.

— A senhorita acha que agora pode apertar minha mão?
— Claro. E apertei, fazer o quê?

Foi uma grande experiência, que dificilmente repetiria, mas que valeu. Na manhã seguinte, liguei para o Emmerson para me certificar de que havia recebido o DVD com as cinquenta fotos que havia selecionado.

— Recebi, e também chegou o contrato. Não se preocupe, vou respeitar a cláusula extra que incluiu no documento. Foi um prazer conhecê-la.

A tal cláusula foi uma exigência minha de que as fotografias não sejam assinadas.

Não se irrite, mas tenho que confessar que dormi naquela noite pensando no negão.

Beijos saudosos,
Eu.

P.S.: Espero que tenha comprado um par de tênis desses modernosos de hoje em dia que só faltam falar e têm suspensão melhor que as de carro. E se exercite, aprendi uns truques e posições que você não aguentaria em sua forma física pré-tênis. Siga as orientações do Dr. Chantaka, muito peixe e caminhadas.

Li, consternado, esta sua última e ultrajante carta postada do submundo do sexo e dos vícios. Li, paradoxalmente, no parque edênico, onde pus meus tênis para caminhar, sim, com listas verdes e amarelas, aerodinâmicas e irônicas. A um relance de seus escritos espúrios, a estátua de bronze de Lord Kitchener corou.

O parque fica a cinco quadras do prédio de apartamentos para onde me mudei: mais perto do trabalho que o outro, de modo que pude dispensar o carro, seguindo a receita pedestre do Dr. Rahula.

O novo apartamento é pequeno, mas moderno. Diferente do anterior, que era uma coisa híbrida, moldada sobre os restos de um bombardeio, incêndio ou impulso eclético de algum arquiteto "cabeça".

Há um quarto para dormir, outro para livros, mesinha, computador, sofá, lâmpada de leitura. Vidinha monástica, comida idem, preparada na cozinha muito funcional. Uma sala de estar composta formalmente — uma reserva educada para improváveis visitas. Banheiro de avião.

Tem feito frio, e caminho no parque com um sobretudo longo que quase me cobre os tênis. Nada que disfarce o perfil eclesiástico e herético que devo oferecer aos poucos transeuntes. Ou, talvez, estes me vejam como mais um doido que ensaia o discurso a ser proferido sobre um caixote e que verberará a praga de gafanhotos que se abateu sobre o Ártico. "Culpa do governo", pensa o doido sem pressentir que a causa deste mal são as moças, egressas do Sacré Coeur, que, sem esconder a excitação, fotografam cenas pornográficas.

É curioso que você tenha abraçado (sic!) profissão e tarefas que retratam as mentiras (a falsa beleza, o falso sexo) de modo que as entendamos como necessidades.

Fim de tarde com leões

Está claro — e inicio aqui um prontuário vingativo e irado — que existe, para mim inclusive, um outro tipo de falsificação de sexo que, se perpetrado com requinte e demiurgia, vem a ser benigno. É uma exaltação capaz de levar uma relação exclusivamente carnal a algo semelhante ao êxtase amoroso. Este estado, que se materializa em espaço e tempo de delicado estrato, somente pode ser gratuito e consensual.

[A puta não beija na boca, mas chupa o pênis. (As que beijam na boca são depravadas, sem ética.) Da boca sai o alento, o ar da alma ou ela própria, em espécie — o que foi insuflado por criação divina —, e o contato com a alma alheia seria ofensivo e estranho ao negócio. O sêmen, contudo, é apenas a substância que a puta espera e provoca para concluir uma transação estabelecida como justa.]

Em alguns momentos da minha vida (você não deve perguntar quais) tive mulheres que me transportaram a um breve e inesperado transe amoroso. Não falo aqui em intensidade de gozo — um item de desejo sobre o qual as mulheres tagarelam. Eclesiástico, em meu sobretudo de eremita, rememoro que estas epifanias ocorreram em momentos de beleza próximos ao estado de graça. É provável que tenham sido apenas (o grifo é meu ou de São Jerônimo) transes estéticos, uma ruptura no espaço, uma brecha por onde se enxergaria o ideal em feliz cópula com a beleza.

Para que você acredite e me gratifique com seu ódio, devo dizer que não apenas a curiosidade, mas um genuíno impulso exogâmico levou-me a duas dessas mulheres, de diversas e notáveis belezas, pois uma era negra e outra, japonesa.

Deixo claro, para que você não imagine clichês pornográficos tão a gosto das publicações tragicômicas que lhe contratam, que estes encontros se deram em lugares e tempos diferentes. Vou, perversamente, poupar-lhe a ciência de onde e como vim a conhecê-las. E quero, também e apenas, revelar enfaticamente a nudez de ambas, pois, nisso, tudo parece estar contido: a oferta do despir-se, do expor-se com franqueza, do entregar-se sem limites.

A negra era dançarina (brasileira) de um desses grupos chamados étnicos que estilizam feroz coreografia, querendo demonstrar uma sensualidade primitiva e genesíaca.

Disso a garota logo se livrou, despojando-se dos adereços e da grosseira peruca trançada. A dança estrênua deu a ela um corpo terso e brilhante que eu quis admirar sob luz plena. Foi formidável ver aquelas sombras iluminadas em tons que iam do castanho com luzes fulvas até o mais profundo negro azulado. Principalmente nas costas, no declive ao cóccix, onde uma faixa mais escura em Y (o oposto da pele defendida do sol pelo biquíni das mulheres brancas) mergulhava na fenda das nádegas. E havia o palor da palma das mãos, da sola dos pés e a textura muito brunida da pele das coxas, onde as luzes do quarto alcançavam o maior reflexo. E, é verdade. A cor das gengivas — um rosa tirado ao lilás, mais rubro para o interior dos lábios — replicava-se com exatidão na mucosa da vulva e, não diferentemente, no interno do ânus, vi quando pude explorá-lo adentro do anel escuríssimo, duro e pregueado.

Ela era alta, com os quadris cheios, harmônicos com o volume das nádegas. Tinha a barriga chata e musculosa e, quando deitada, os seios afastados, grandes e macios pendiam em contida queda para os lados. Isto dava formas elípticas às aréolas, de onde se pronunciavam os mamilos, como frutinhas.

Fim de tarde com leões

Nenhuma agressividade naquele corpo de bicho grande. Pelo contrário, aninhava-se aos carinhos, como se menor fosse. E, quando a penetrei, eu, temendo como todo bwana cara-pálida ser insuficiente para o que demanda uma princesa africana, encontrei-a apertadíssima e hábil, recebendo-me com gemidos alegres, a boca molhada percorrendo meu pescoço com balbucios curtinhos.

Mantinha os olhos semicerrados, nesgas líquidas e muito oblíquas que, a um etnólogo de cama mais estudado e menos hipnotizado que eu, logo daria indicação de origem e tribo.

Olhos oblíquos também os tinha, naturalmente, a moça japonesa, se bem que, em respeito à veracidade, eu deva lhe dizer que ela era filha de mãe francesa. A mistura foi feliz e inusitada. Os cabelos saíram ondulados e castanhos, e as íris, azuis. Itens mestiços que deviam trazer a ela a hostilidade dos patrícios puristas. No resto, sobretudo no corpo, era em tudo semelhante a uma estampa japonesa clássica, tão nipônica como as cerejeiras floridas ou a cerimônia do chá.

Assim, como nessa cerimônia, com toda delicadeza dos dedos finos e alvos, sentada num colchão desforrado, tocou-me o membro, tatilando-o de baixo a cima, olhando-me nos olhos.

Indagou de minha vida — o que respondi com generalidades — até ela chegar às muralhas sacrossantas do casamento, momento em que a torre colapsou vergonhosamente na mão dela.

— Deus foi cruel com os homens, pondo-lhes o sexo tão exposto — ela falou com sua pontinha de sotaque francês.

Afora este reproche, ela pareceu relevar a fraqueza ou considerou que minha reserva, tão desgraçadamente declarada, impunha impedimentos de territórios e empenhou-se em resgatar o prazer descaminhado. E o fez com tanto empenho, que reconstruiu-se a fortaleza (como em alguma metáfora do Decamerão) para que se iniciasse uma escalada desassombrada e extenuante, tarde afora.

Olhei-a dormindo no colchão ordinário, uma perna fora dele, sobre o assoalho de tábuas empoeiradas. Um corpo de menina com seios tão pequeninos como uma promessa da adolescência. Alva com o luar monocromo do verão, o tufo negro do púbis apenas raspado nas virilhas, mas absolutamente preservado na mata triangular, densa e odorífera. Sob a forquilha das coxas entreabertas, no colchão, a mancha molhada do gozo dela — um gozo do qual eu apenas havia ouvido falar a raridade e que eu, em minha inocência, quando ele irrompeu do âmago dos soluços, imaginei fosse "a golden shower" e não a torrente inesperada que ela, graciosamente, os olhos celestes escancarados para o teto, pontuava com "merci, merci, merci".

Possivelmente, estes momentos de exacerbação são avatares do enternecimento. Ou, vice-versa, mas é fato que eles escapam da circunstância, limites e defeitos do sexo ocasional e fortuito. Como provar isto, porém? Tão difícil como convencer os céticos do avistamento de um óvni.

De qualquer modo, relato-os a você para que comprove e experimente o que já lhe disse: o quão tediosas e nauseantes são as histórias de amor e sexo vividas pelos outros.

Espero em Deus que tenha ficado enjoada. Ou, por outra: espero que, se você voltar a sonhar com o negro pornográfico, ele vomite em você.

Passe bem.

Querido ser pornográfico,

A vida monástica lhe cabe bem, já a pornô...

Quer dizer que ficou consternado? Eu nem saberia dizer o que fiquei quando li sua última carta, só sei que não consegui responder no mesmo dia. Se o que queria era me fazer esquecer o negão, sucesso! Sexo não passará por minha cabeça tão cedo. O lado bom dessa história é ver que seu talento não se restringe à realidade, também é bem razoável na ficção — sim, ler o seu relato com duas mulheres como ficção foi a única forma que encontrei para não surtar de ciúmes. Isso é tudo que tenho a dizer.

Não gostei da descrição do novo lar londrino, soa como aquele que comprou em São Paulo quando nos encontrávamos lá. Era espaçoso, mas meio deprê. Jamais entendi sua insistência em nunca deixá-lo ter o mínimo que fosse de conforto, aquele sim tinha ares de pós-bombardeio, e um eterno cheiro de gás misturado com caixas espalhadas e telas jamais preenchidas. Lembro-me da única noite que passei contigo numa cama gigante que ocupava metade do quarto. O espaço mais simpático que havia era o closet, que alguém te fez o favor de montar, fora isso, o lugar era uma eterna lembrança do provisório, de dias puramente profissionais e sem graça.

Talvez minha memória esteja indo longe demais, mas me recordo de uma rede empoeirada. Havia? Na varanda dava para dançar valsa, um desperdício para o uso que fazia dela. Foi lá que ensaiamos, pela milésima vez, o oposto do que o apartamento significava: a permanência. E foi lá que, pela milésima primeira vez, fracassamos.

A vida por estas bandas está quente, e eu tenho aproveitado para me exercitar. Tem sido boa a vida de desocupada, descobri que vivo razoavelmente bem sem trabalho, nada que dissesse em público ou a meus amigos "workaholics" que veem os "bon vivants" como nós com absoluto desprezo. Acho que se tivesse dinheiro suficiente, abraçaria essa vida com grande prazer.

Meu cotidiano se resume a enviar alguns poucos currículos a agências, revistas e jornais — gostaria de experimentar fotojornalismo —, comer, ir ao cinema e andar de bicicleta. Em homenagem à minha dureza financeira, ontem eu comprei a mais cara bicicleta que existe no mercado, só não tem motor, uma beleza. Nela, uso diariamente — dessa vez em sua homenagem — aquele par de tênis coloridíssimo que me trouxe do México. Sabia que o infeliz brilha no escuro? Toda vez que escurece, me pego escondendo os pés e, por vezes, rindo ao me lembrar da gargalhada que dei quando você me presenteou não só com esse arco-íris, como com um par de meias cor-de-rosa. Sei que foi uma piada, mas nunca tive coragem de me desfazer dele, hoje meu fiel companheiro de vida boa. Um descalabro.

A Silvinha saiu do hospital. Estive em sua casa ontem, parece melhor, e a família tem reagido bem e se esforçado bastante no tratamento dela. Os danos não foram tão graves quanto inicialmente o médico previu, corpo jovem é assim, reage e se recupera mais rapidamente. A mãe dela não quer mais nem ouvir falar em deixá-la prosseguir com a vida de modelo. Felizmente, nem ela. Parece que agora, ambas enxergam além do falso glamour dessa profissão. Virei amiga íntima de todos, eles me veem, também ingenuamente, como a salvadora da menina, e resolveram me adotar depois que fui demitida. Todos os dias querem que eu vá jantar com eles. A verdade é que eu sou a única com quem a Silvinha conversa abertamente, seu caso é típico da pós-modernidade: pais ausentes, excesso de liberdade e pouca orientação para a vida.

E assim vou vivendo, sem você, com muito tempo livre e numa ambiguidade terrível: sei que preciso trabalhar, mas não tenho qualquer ímpeto para isso. E sigo seu conselho de esperar até que um trabalho legal me encontre. Uma coisa é certa, não vou mais ceder a salários, só me emprego em algo que for prazeroso. Descobri que vivo com pouco, e bem.

Saudades, muitas, sempre.

Sua.

Fim de tarde com leões

É provável que sim, que talvez as duas mulheres, japonesa e negra, sejam ficção. Talvez, mesmo, as tirei de leituras antigas que as tenham insinuado no rol das coisas vivas por capricho ou rompante. Penso isto porque não recordo, até o que eu e você conhecemos de mim, que eu tenha, para momentos de sexo, acuidade para detalhes vívidos a ponto de registrar lugares, texturas e instantes tão íntimos das senhoras.

Diferentemente de você, por exemplo, para coisas de decoração, ou da falta dela. Sua rememoração do apartamento é materialmente precisa, embora caibam reparos nos aspectos subjetivos de sua percepção.

Comprei o apartamento com a ideia de fazer lá um estúdio de fim de semana e férias, onde pudesse pintar ou, pelo menos, tentar pintar aquelas coisas que, por hábito, gosto de desenhar em cadernos, folhas soltas e bloquinhos. Pretensão artística nenhuma. Puro hobby, pois descobri logo que jamais alcançaria nível melhor que os de pintor de feira hippie, e o máximo que lograria seria pintar coisas para presentear amigos, provocando-lhes o incômodo de esconder os quadros sob as camas ou no quarto da empregada.

Era um pretexto também para escapar de Brasília e do trabalho no ministério que, naquelas alturas, já vinha se transformando numa fonte de aborrecimentos. Também seria útil como um *pied a terre*, pois meus negócios paralelos me obrigavam passagens reiteradas em São Paulo.

Em nenhum momento foi um lugar para morar, muito menos para morar casado. E foi bom para mim. Comprei-o barato, de um sujeito que estava apertado e, quando a coisa engrossou para o meu lado e tive que sair daí, vendi-o de volta ao mesmo cara, de porteira fechada, sem escritura, em dólares. Não podia tocar em meus recursos sem dar, à turma da rapina, pistas de onde estavam. Credito minha escapada a salvo ao apartamento e à fratura que separa o Olimpo bacharelesco do judiciário da planície do estamento policial.

Agora, entretanto, devo considerar duas ideias plenas de melancolia e injustiça que você verteu em sua carta: Permanência e Fracasso.

Gravar este dístico sobre nossos poucos e incômodos encontros no apartamento, fazer dele um símbolo gritante de nossos desajustes é menos um drama que uma disparatada comédia conjugal. Fale com seu Dr. Manoel sobre isso, sobre este exagero que você parece querer agigantar ainda mais, como defesa e cortina para os motivos efetivos de suas frustrações. Lembre-se: você me escreveu, tenta resgatar um amor perdido ou em sursis, dá-me conta de ciúmes e saudades. Seria bom, também, uma revisão lógica de seus sentimentos.

Eu, de minha parte, à época das viagens, teria preferido que você ficasse com Andrezinho, não o deixasse a brida solta em Brasília em companhia de filhos idiotas de famílias, no mínimo, desajustadas. Mas...

Você gostava e gosta de São Paulo. Aprecia o ambiente à "Bob & Carol & Ted & Alice", o grêmio de psicodrama da Sra. Mary McCarthy, os desastres urbanos e mentais que a poluição injeta no *glamour*.

Sim, havia as caixas, bem lembrado. Comprei um lote de livros da viúva de um diplomata. Guardei-os lá, e minha ideia e divertimento seria separar o que prestava e o que era curioso do que era apenas lixo. Lembro-me de que, na rede (empoeirada, cara e bonita), comecei a ler um volume de ensaios históricos de Macauley, tentando interessar você nas peripécias indianas de Lord Clive. Você escapou do abraço forçoso da rede, foi às caixas e voltou à varanda arrastando uma cadeira e um maço de revistas *Vogue* da década de 1960. Eu e Lord Clive perdemo-nos na bruma da história. Você recolheu-se, no canto, com as revistas, emburrada. Seus olhos se encheram de belezas retroativas. Nem por isso considerei nossa vida (a minha e a sua, permanentes ambas e divergentes, as duas), como fracasso.

Você aceitou a minha chatice, talvez apostando que seria só um ornamento fácil de desbastar. Quando nos casamos, a diferença de idade contava pouco. Você era uma menina que se deliciava com bombons de espírito. Eu, irresponsável por trazê-los à mão. Desgraçadamente, envelheci em defasagem com seu entusiasmo mais sociável, embora declaradamente ansioso. Na última quadra de nossa vida juntos, Deus tendo ensaiado com o Diabo "o jogo de Job" — dessa vez em minhas costas —, tive que forjar-me em têmpera mais forte e, contudo, mais opaca: estou seguro e defensivamente ainda mais chato: o ornamento virou couraça. As graças do professor quarentão, do chato espirituoso, são agora assustadoras verrugas da idade.

....

Mild-Red interrompe-me estas linhas. Há um telefonema do engenheiro Inyanga. De Paris, com urgência.

....

Ele (Inyanga) quer falar pessoalmente. Nada por telefone, reafirma. Virá ver-me amanhã. Mistérios da África.

Então, beijos, moça. Como você diria: "quebrou-se o clima".

Estou com o pé direito engessado, resultado de minha afoiteza na bicicleta. Fiquei segura demais e abusei da velocidade — felizmente no parque —, caso contrário, acidente mais grave poderia ter ocorrido. Cinco dias sem pisar, pelo menos, e mais alguns poucos com muletas. Irritante viver a infância nessa idade. Assim como você, algumas leves características minhas viraram também couraças, entre elas, a meninice.

Precisava ver a cena. Era uma quarta-feira à tarde, parque vazio, uma delícia e uma tentação enorme de correr: aproveito esses momentos para queimar umas calorias e endurecer a perna. Nesse parque existe uma pista longa que termina numa espécie de rotatória enorme e sem ruas, meu espaço favorito para acelerar o ritmo ao som de rock hiperativo. O problema é que, dessa vez, além de correr, tentei imitar aqueles atletas que competem em corridas de bike. Nas curvas, pendem para um lado aproximando-se do chão.

E foi assim que a atleta que vos fala torceu o pé, e só torci porque, quando senti o inevitável desastre, joguei o corpo para o lado oposto, amortecendo um pouco a queda. Contei também com a ajuda da Ella Fitzgerald que, a essa altura, cantava "I Love Paris", minha favorita do Cole Porter. O ritmo naturalmente havia me desacelerado.

E o que faz uma desempregada engessada além de escrever para você? Comecei ontem um curso de mapa astral pela internet, negócio complicadíssimo, mas divertido, e, pelo menos para mim, claramente inútil. Em breve serás meu cobaia, isto se eu conseguir chegar a um nível de expertise que me permita interpretar informações de tamanha complexidade.

Você, velho chato? Nada que seu papo sedutor e extremo bom humor não nos façam relevar. A rabugentice sempre foi uma marca sua, desde a juventude que não conheci, mas que se mostrava presente nas fotografias. Lembro-me de uma em particular: sua imensa família bem arrumada e você, no canto direito, visivelmente irritado em ter que posar junto aos tios de quem sempre falou mal.

Por falar nisso, como vai a Albertina? Ela sempre me fez rir, era a mais carinhosa conosco, e você, o sobrinho favorito. De todos, é a que mais deixou

Fim de tarde com leões

saudades, mas, depois de nosso último encontro logo depois da morte do Andrezinho, nunca mais tive coragem de procurá-la. Ela, como você à época, me culpou em silêncio pelo acidente. Uma pena, gostaria de revê-la.

Estou aproveitando o tempo livre e inevitável para postar algumas fotografias em sites de agências de notícias e de imagens. Nunca pensei que houvesse tantas on-line, é um mundo ainda a ser desvendado, e algumas pagam muito bem, melhor que a imprensa, por exemplo. É um trabalho demorado que exige atenção aos detalhes, a concorrência é de altíssimo nível. O mais difícil é tematizar as fotos, até porque as de que mais gosto são as abstratas, as indecifráveis, e essas não têm mercado, servem apenas para preencher minhas próprias curiosidades e caprichos. Também me afastam do tédio em registrar o óbvio.

O SAMU tem me visitado diariamente: os rapazes trazem comidas, filmes e livros, atendimento de alto padrão. Eu entro no site da locadora, escolho o que quero ver e mando a lista para o Alberto, que trás os DVDs à noite. Paulo cuida da alimentação, além de levantar meu astral com suas piadas inconvenientes e histórias de conquistas baratas e sem futuro. É um sedutor incontrolável que usa esse talento em sua máxima potencialidade, um profissional na fuga do amor, caso clássico de órfão que se fez sozinho. Sou a única mulher com quem ele convive, talvez por eu não ter-me deixado conquistar por suas palavras ensaiadas e nunca tê-lo levado a sério.

Outro dia, brigamos feio. Até para minha cabeça moderna ele havia passado do limite, estava saindo com duas irmãs, um verdadeiro exercício de dissimulação. Contou-me às gargalhadas que até a mãe delas "daria um caldo", frase que achei patética. Dei um ataque tepeêmico, xingando-o de sem caráter para pior. No mesmo dia ele terminou com as duas, não antes de me dar um sermão dizendo que sou uma moralista.

Moralista ou não, irei sim examinar o que chama de minhas frustrações, mas, ao contrário do que imagina, não falta clareza em meus sentimentos. Talvez, e nisso, sim, está certo, sobre zelo nas decisões.

Saudades acamadas,
Eu

Meu querido,

Tenha paciência com o excesso de cartas, mas as 24 horas do dia têm, atualmente, 97. Ficar deitada não é nada relaxante, ao contrário, dá dor nas costas e uma irritação profunda, acho que vou alugar uma cadeira de rodas, pelo menos terei o mínimo de mobilidade. Faltam longas 194 horas, dois dias.

Até o prazer fica idiota e se esvai. Quando tenho tempo escasso, tudo que penso é em assistir a filmes e comer pipoca. Agora que posso, acho tudo lento demais, só dá para ver Hollywood em seu estilo catástrofe urbana, com muito crime, tiros e carros voando para todos os lados. O excesso de tempo é mesmo destrutivo.

Outro "sintoma" provocado pela imobilização tem sido você, não consigo expulsar imagens suas, nossas, de minha cabeça. Tenho relembrado nossos momentos mais lindos, como aquele em que me carregou nos braços num restaurante que alagou durante o jantar. Todas as mulheres babaram por você naquele dia, foi uma das noites de amor mais intensas que tivemos, lembra?

Eu havia bebido pouco, você também. Talvez esse limiar entre a lucidez e os desejos incontidos tenham nos aberto a tantas possibilidades. Naquele dia, entramos em um novo e inexplorado território de intimidade. Até então, eu continuava sendo vista e tocada como porcelana — nada contra —, mas você se deu conta de que havia ali também um furor sexual que nem eu conhecia.

A gravidez é outra lembrança que me acolhe e acalma nessa cama. Foram nove meses de carinho e cuidados excessivos e bem-vindos. Lembro da cozinheira nordestina que você contratou só para fazer pratos leves, além de mudar seus próprios hábitos alimentares para me acompanhar. Eu engordei pouco e você emagreceu.

Ontem, ri muito me lembrando do livro de receitas que comprou para a dona Helena variar nas saladas. Tadinha, metade dos ingredientes ela sequer conhecia. "Lá no Norte a gente não usa isso, não, me disse nervosíssima logo no primeiro dia. Também, os nomes dos temperos estavam mal traduzidos e muitos permaneceram em francês. Charmoso para quem entende, mas para uma pernambucana que viveu trinta anos no sertão? Nem eu, até hoje, consigo seguir aqueles pratos. Tive que comprar outros dois livros escondida de você. Segredo revelado.

Outro toque bem seu que nunca esqueci e me comove até hoje foi o dia em que encontrei na sua pasta a lista "os dez desejos mais esquisitos de grávidas", entre eles, comer telha. Aquele gesto revelou um zelo e amor por mim tão doces, que chorei lendo aqueles absurdos que, felizmente para nós, não apareceram durante os nove meses. O máximo de esquisitice que alcancei foi querer comer caranguejo no meio da noite, um capricho simples se não estivéssemos em Brasília. E você encontrou. Congelado, mas encontrou.

Seu toque em minha barriga todos os dias, a conversa com o bebê, a compra dos equipamentos de ioga, um "kit" que veio com professora e tudo, quase engravidei novamente só para me sentir tão princesa. "Princesa, não... Rainha", dizia você todas as vezes que eu comentava sobre os seus cuidados comigo. Foram meses de lua de mel, não foram?

O único dia de estresse foi quando a bolsa estourou uma semana antes do previsto. Embora a mala estivesse pronta, a maternidade estava cheia e acabamos por escolher outra, de madrugada, entre gritos seus ao telefone. Só ficou calmo quando me viu chorando, com dores, no canto do quarto. Não pensou duas vezes ao me levar ao hospital que o médico sempre havia dito que seria melhor para nós, mas que você relutava em aceitar porque desconfiava que ele tinha alguma espécie de negociata com a direção. Dias depois, acabamos concordando com o Dr. Eduardo, o lugar era mesmo especial.

Essas reminiscências me ajudam a passar o tempo com leveza e você ao meu lado. Às vezes, converso contigo em voz alta: comento uma cena de filme, um trecho de música, um parágrafo do livro que estou lendo. E ouço sua resposta, sempre.

Com o pé para cima, sempre sua,

Eu.

Por que o silêncio? Sua borboleta já começa a bater as asas; mais a esquerda, a direita anda um pouco machucada ainda. Sai da cama, pelo menos isso.
As muletas doem, e sua ausência também.
Me escreva.

Sua.

Fim de tarde com leões

Mapa astral? Você, a moça com memória fotográfica que entesoura o passado, agora ambiciona o futuro? Que adivinhará para mim, para nós, talvez? A princípio, por um ato falho, li mapa austral, e logo me corrigi... O austral seria o Sul, o sul da África, um destino?

E você me pergunta da tia Albertina. Ela foi para o Norte, é a última coisa que sei dela. Todos temos um tio ou tia doida, e esta, a tia Albertina, além de ser doída, tem uma espécie de síndrome de imortalidade. Calculo que esteja com uns oitenta e poucos e casou-se (ou algo equivalente) pela terceira vez... A vítima mortal é um velho gringo aposentado da extinta Panam. Arrastou-a para Miami onde devem estar vivendo os lugares comuns comunitários e da artrite.

Sem alusão, verifique com mais cuidado estes pontos frágeis que são seus tornozelos, suscetíveis a danos no alpinismo e nos tombos de bicicleta. A propósito, um amigo meu tombou redondamente morto no box do banheiro quando, ensaboado, cantava a mesmíssima canção de Cole Porter. E, lembre-se, o próprio compositor aleijou-se ao cair de um cavalo, muito certamente quando solfejava os acordes incipientes desta melodia azarenta.

Grato pelas recordações de nossos bons momentos. Custa-me acreditar que carreguei você para fora do restaurante alagado. Acho que, hoje, seria você a carregar-me com a ajuda contrafeita do *maître*.

Então... uma coisa:

De fato, Inyanga veio ver-me.

Ao telefone, perguntei se ele gostava de andar.

"Isto é coisa que se pergunte a um subsaariano?", ele desafiou-me.

Combinamos uma caminhada no parque.

Ele chegou num Bentley negro, com motorista e um outro sujeito, talvez segurança. O carro não parecia ser da embaixada, e imaginei que as diatribes do Presidente com os britânicos estava na origem disto. Em todo caso, a cor do carro, o brilho impecável da pintura, fazia um triste contraste com a cor de Inyanga, que parecia gasto e marrom ao lado da máquina vistosa. Ele despachou os tipos com gestos curtos e falas breves. Andamos para o parque devagar, falando um pouco de coisas comuns, dos projetos em andamento, de minha saúde e da dele.

Ele me pareceu cansado ou preocupado, coisas que o encolhiam, o deixavam mais velho como sua terra ou sua aldeia natal.

— Diga-me, Augustus Inyanga, Augie, famoso Ôgui Inyanga: qual é o mistério? — provoquei.

— O Presidente tem câncer. O prognóstico é péssimo — ele falou chutando pedregulhos do caminho.

— Ah! Lamento, Ôgui

— Pois é. É segredo. Peço sua reserva.

— Mas é claro.

Ele parou antes de chegarmos a uma bifurcação do caminho. Escolhi a senda mais estreita. Seguimos.

— Como ficarão as coisas? — arrisquei.

— Aí é que está. Não ficarão... ou, pelo menos, não deverão ficar no mesmo modelo.

— E...?

— Sim, claro, algumas coisas permanecem, sobretudo e principalmente na área militar.

— Ah, Ôgui, não me diga que aquela salada tribal de "desperados" e veteranos ávidos por recompensas e terras tem pretensões...

— Não, não. Neutralizamos isso. Propusemos uma reforma... digamos... profissional... Reforma vantajosa para a velha guarda...
— Propusemos? Quem?
— ...e reescalonamento de carreira...
— Quem, Ôgui? Quem vai tomar as rédeas? — insisti.

Ele me olhou de dentro de uns olhinhos maliciosos e ensaiou um ligeiro sorriso de esperteza e melancolia:
— Willow, meu caro. Nosso Willow.
— Não diga! Com que tipo de poder? Ditadura delegada e constitucional? Golpe de mão?
— Não, não. O padrão é um referendo plebiscitário para a formação de um modelo parlamentar. Uma transição... nova constituinte, essas coisas...
— Pode haver outro embargo internacional... crise de abastecimento... mais fome ainda e nova guerra civil, calcularam isso?
— Calculamos. Os tempos são outros, os atores da oposição sem palco e desacreditados. Além do mais, temos um plano pragmático, um alinhamento de interesse contratual com Moçambique e que, no futuro, pode se consolidar também com Zâmbia.
— Ôgui, Ôgui! Você já não teve pan-africanismo demais na sua vida?
— Ah, sim. Tive, a ponto de saber que os europeus conseguiram um formato útil para ajustar as diferenças deles. Pararam de se matar. Agora se odeiam, apenas.
— Desculpe, Ôgui. Vamos gastar toda nossa caminhada e não acertaremos estes passos históricos.
— Escute. Isto é só um cenário que ainda vai se desenrolar. Tenho uma coisa para lhe dizer que é mais imediata e que tem projeção no que vier a se resolver no campo político.

— Vai doer?

— Quase nada. Estamos instituindo uma agência para alargar e aprofundar o protocolo do Corredor da Beira. A ideia é ter um sistema não só de escoamento, mas formador de "clusters" e processamento mineral. Nada de modelos estatizantes, bem pelo contrário. Imagine uma galáxia corporativa regulada, mas aberta... Um território empresa. Uma boca para o Índico, defesa, não muçulmana... Os chineses...

— Muito bem, não doeu. Não é novidade como empreendimento, você sabe.

— A novidade é que ela será segura.

— Quem vai garantir?

— Um pacto internacional com fundos consolidados, obrigações binacionais com lastro numa carteira de comodities minerais e titulação agrária.

— Ok, Ôgui. Qual o catch além de exaurir minas e expropriar aldeias para as mãos dos novos mandarins de Pequim?

— Nenhum ardil, meu caro. Jogo franco e capitalista. Você sabe o jogo.

— Perco sempre.

— Precisamos de você para um dos ramos da agência.

— Quem precisa mesmo? Willow?

— Eu lembrei seu nome. Ele aceitou na hora.

— E o que eu faria nessa galáxia binacional?

— Captação de recursos para o setor energético e formulação de projetos para investimentos em minérios. Estratégias casadas.

— Parece pomposo e lisonjeiro, mas tenho emprego aqui...

— Ora, ora. Se é pelo salário...

— Falando sério, Ôgui. Tenho esperanças de voltar aos meus pagos, e um dos projetos da empresa é justamente...
— Não volte. Não percebeu até hoje que tudo pelo que você passou é sinal de uma rejeição mais perversa que um simples processo?
— Será?
— Você não pertence ao lugar. Esses seus pagos, como você diz.
— E pertenço à África? Devo ir para lá, morrer tentando salvar você e Willow dos facões enfurecidos?
— Não seja apocalíptico. E você não trabalharia obrigatoriamente lá.
— E onde seria?
— Pensamos Paris ou Roma. O que acha?
— Pelas tentações próprias à minha idade, acho que as duas.
— Não é má ideia. Dois escritórios...
— Você está brincando.
— Nem um pouco.

A estradinha desembocou num pátio de recreação. Duas meninas encapotadas divertiam-se balançando um Humpty-Dumpty de fibra de vidro encarrapitado numa mureta de tijolos. O boneco estava fixado numa mola e ia e vinha sem cair. Era uma metáfora tão óbvia, que nos calamos até a hora do almoço.

Em suma, até a sobremesa de frutas, Inyanga completou a proposta. Chefia dos escritórios — reportando-me exclusivamente a um conselho de desenvolvimento binacional —, cláusula de bonificação por sucesso de empreendimentos, status diplomático.

— Pense com carinho — ele disse, brincando com os talheres.

— Não posso pensar de outra maneira, *head hunter* Ôgui — brinquei.

— Há, há! Deixamos este tipo de caçada há muito tempo... quer dizer... de forma literal... ou... capital... mas... posso ter uma recaída — ele apontou-me os talheres ao pescoço, com uma ameaça brejeira.

Assim foi. O que você acha, divinatória criatura? Daria para consultar no mapa astral (ou austral) meu destino associado a esta mirabolante nação-empresa a brotar do misterioso e atávico solo africano? Ou, em se tratando de coisas com dedos chinas, devo inquirir um mais enigmático I-Ching?

Beijos inquietos e sôfregos.

Fim de tarde com leões

Meu (sempre) querido,

Depositei expectativas fantasiosas e descabidas nesse nosso "reencontro" dos últimos meses. Essas cartas são menores que acreditei, pelo menos é o que sinto hoje, e não me parece haver reciprocidade em você no desencanto que provém de uma ilusão que eu mesma construí e que precisa ser desfeita.

Desde suas últimas linhas, quando me agrediu com pretensões profissionais que ferem, inclusive, nossa história, me dei conta de que a minha tentativa de reconstruir uma intimidade talvez irrecuperável foi nada mais que conversa autista entre minhas próprias dores.

Fui bem acolhida por você, que, dentro do possível, aceitou meus lamentos e gritos por perdão. Acho que essa foi a fonte inicial de nossa troca e confidências: a culpa que me atormenta desde o dia que você saiu de nossa casa, deixando para trás o vazio provocado pela morte de nosso filho.

Estou só, merecidamente. Sei disso. Mas também sei que não há como continuar assim com medo. Nada me assusta mais que a possibilidade de ser feliz, isso já fui — fomos —, não sei se sobreviveria a perdê-lo novamente.

Esta madrugada acordei com crise de ansiedade. Eram três da manhã e eu revivia a cena de quando me machuquei naquele ensaio que me tirou dos palcos no único ano em que acreditei poder me destacar de verdade na dança. Tantas expectativas e sonhos se foram naquela cirurgia.

Você correu para o hospital e não deixou que ninguém me comunicasse a extensão do problema. Eu estava sonolenta e você sequer precisou me dizer uma palavra, nossa comunicação sempre foi assim: silenciosa e voraz. Aquela foi minha primeira grande perda na vida, e você estava lá. Choramos juntos pela primeira vez e foi ali que decidimos ter um filho. Trocamos as sapatilhas por mamadeiras, e foi também a primeira grande decisão tomada juntos.

Mas não foram essas lembranças que provocaram medo, e sim a constatação de que terei que enfrentar sozinha as perdas futuras. A ilusão de que o teria de volta em algum momento agora me parece estúpida, e não o culpo por isso. Uma vez mais, fui eu quem criou um espaço imaginário de esperança, você apenas foi o homem gentil de sempre que jamais seria indelicado comigo.

O caminho que toma e as escolhas que faz talvez sejam a sua maneira de me dizer adeus, de deixar claro que andamos em caminhos opostos e distantes. Queria que soubesse uma coisa: você foi e é solitário e único, minha referência de amor. Um amor que se renovou, diariamente, em gestos insolúveis de cumplicidade, até quando decide ir embora.

Quero te agradecer pela verdade que representa e por ter suportado os rompantes dos últimos meses. Não será mais assim se não quiser, prometo. Prometo com um amor de mesma intensidade e sem esperanças.

O pé ainda dói, tenho muita dificuldade em andar, só que dessa vez são as muletas internas que não conseguem mais me dar apoio. Estou cansada, triste, num quarto que cresce em espaço e vazio, fruto do que sinto. Fiz péssimas escolhas na vida, não foi?

Se cuide.

Sua.

Fim de tarde com leões

Querida Lúcia,

De madrugada houve uma trovoada com relâmpagos para além da Serra das Palmeiras. Fui à varanda ver os clarões e contar o tempo até o rugido dos trovões. Há uma fórmula empírica para calcular a distância da tempestade. Ao relâmpago, você conta os segundos e multiplica pela velocidade do som. Pelos meus cálculos, o temporal estava a uns 40 quilômetros, mas devo ter errado na conta ou trocado o valor da velocidade do som, pois a chuva chegou rápida, correndo pela pradaria, morro abaixo. Uma cortina tornada cintilante pelos relâmpagos, que cessaram de repente. Restou um silêncio muito fundo e escuro, violado pelo marulho da chuva gorda. Logo a calha no telheiro da varanda transbordou e despejou uma cascata assassina sobre o canteiro de nuvens recém-transplantadas. Uma devastação.

Como em todo desastre, há um plano de fundo com risadas, consolei-me com o paradoxo: chove sobre as nuvens! E fui tomar uma xícara de café requentado, pois sabia que não conseguiria voltar a dormir.

Sua carta de número 22 estava sobre a mesa da cozinha, esperando resposta. Pois bem. Vou tentar fazê-lo, ainda sob o ritmo pesado e, talvez, lacrimonioso desta chuva de verão.

Você (não sei por qual maldade ou ação caritativa) introduziu este jogo das cartas em nossas vidas. Embora você tenha me explicado que seria uma espécie de diversão — tipo *second life* —, sei (e não nos enganemos quanto a isso) que tudo o que queríamos, sob este disfarce de passatempo, era, agora na maturidade, reviver licitamente nosso amor de jovens, rememorar na pele, na mente e na ação de atores contratados, o que vivemos, deixamos de viver ou... (o que realmente me assustou)... tentar criar uma metáfora para o que e onde falhamos.

Não sei mesmo, sinceramente, se logramos divertir-nos. Sua carta 22, como as outras, reais, que você me enviou ao longo da intermitência de nossa relação, é, de novo, uma carta de despedidas e abandono sob resignação. Não fosse um simulacro embutido num sonho ou num devaneio, esta carta, de frases atingidas em cheio pelo sofrimento, me teria deixado muito preocupado com você.

Talvez a crise e a angústia que nela se denunciam (apesar, repito, de quão imaginosa ela seja) podem ser uma advertência de que é vedado aos mais velhos a gratuita felicidade de jogar com os sentimentos, o brincar num playground de memórias dolorosas, o completar com sucesso os enigmas com os quais os jovens se deliciam. Por outro lado, não há mais tempo para passar a vida a limpo: temos que viver mesmo a condição do rascunho que fomos traçando.

Aqui no sítio, sinto-me outorgado à minha verdadeira situação: velho, aposentado, viúvo. E, creia, não coroo esta tríade de incômodos com o ornamento da autopiedade. A aposentadoria sustenta bem meus gastos modestos. Vou levando o resto sem maiores dramas.

A tempo: mantenho o apartamento em São Paulo que "você" retratou com razoável fidedignidade há algumas cartas. Vou lá, vez por outra, e, também, quando a Universidade se lembra de mim para preencher algum desfalque em painel ou simpósio. Pagam um extra, e isto dá uma margem de luxo à mesa.

Fim de tarde com leões

Agora, diga-me uma coisa: você contou a seu marido dessa nossa correspondência... digamos... inventiva? Não sei quais protocolos regem a relação de vocês e prezo e louvo ter-lhe conhecido solteira, embora eu... ah... eu vivia um primeiro casamento algo acidentado.

De todo modo, querida Lúcia, sinto-me no dever para com nossa saúde mental de despedir a trupe. *Exeunt*, com alguma tristeza, entretanto, McFarley e Miss Mild--red, Inyanga, o Presidente canceroso e Willow, o patife C.A.P., a negra da orelha mutilada, Mr. Lidderdale com a garrafa de uísque...

Resiste, agarrado à cortina do proscênio, inconformado com a expulsão, o renitente "Missivista". Ele, despido de seu alter ego mal ajustado, privado do gozo de seus pequenos e obscuros crimes financeiros, destituído de coadjuvantes e impedido de vinganças, espera suas cartas, novas, sem jogos, escritas com a verdade possível que sempre nos uniu, apesar da divergência de nossas vidas.

Com todo carinho,
Pedro.

Paula Fontenelle e P. W. Guzman

Pedro,

    Precisei de alguns dias para responder sua última carta, não caberia mais, de minha parte, qualquer hesitação ou, como chamou, jogos. As palavras foram cortantes, incisivas, sem espaço para minhas constantes reticências.

    Se era de uma decisão que precisava, receba-a com a mesma paixão que sinto nesse instante, pela sua integridade intocada, pelo amor mais uma vez reiterado, por nossa história já ida e a que pretendemos construir.

    Protocolo? Nunca houve depois de você. Meus relacionamentos, inclusive o atual, seguiram um ritmo leve (ou covarde?), desprovidos de futuro. Foram e são estradas que levam, no máximo, a curvas, nunca a uma perspectiva que aponte para o infinito.

    Nossa correspondência nada tem de inventiva, ao contrário, é a materialização de tudo que nós somos um para o outro, e você, amado e renitente missivista, jamais será expulso de minha vida. O que proponho é o oposto: tentar novamente matar o viúvo que você carrega, pesadamente, em si.

    Escrevamos uma verdade maior, sem meu marido, sem a Mild-Red, negras e japonesas, mas mantendo todos os outros personagens, eles fazem parte do que somos hoje. Não tenho qualquer ilusão de que a vida possa ser passada a limpo, isso é fantasia dos ingênuos, algo que nunca fomos.

    O Roberto sempre soube que a minha gaveta de cabeceira, onde guardo imagens e objetos de nossos anos juntos, permanece entreaberta. Ele ocupou, sim, todos os outros espaços da casa, nenhum tão denso quanto esse, desejoso que um dia eu o fechasse, mas preferiu silenciar diante das minhas lembranças.

    E ele sabe também de nossas cartas, desde o dia em que te enviei a primeira. Por que não? Nunca as leu, jamais faria isso, e tinha uma real dimensão do que poderiam significar. Ontem, tivemos uma conversa definitiva e dura, falamos de você. Hoje, ele se foi, deixando um bilhete em cima da cabeceira. Igualmente duro e definitivo.

   Minha porta está aberta. Agora resta a você dar um passo à frente.

   Lúcia.

Lúcia,

Sua carta chegou primeiro. Li-a comovido e, ao mesmo tempo, com a sensação ruim de que toquei (tocamos?), inadvertida ou com inabilidade, no botão do desastre. Certamente o planeta não vai acabar por causa disso, também porque você sempre foi mais pronta e otimista que eu nas crises e conflitos emergentes.

Quero lhe dizer que desde o dia em que voltamos a nos falar (embora por acidente), e desde que iniciamos o jogo das cartas ou de resgate, como você as entende com muita razão, desde então, você tem ocupado a parte de minha alma que permanece viva. Penso que esta ocupação é mesmo legítima e desejada, latente que estava, escondida nos terrenos baldios que meu desajeito para a vida teima em criar. Ela não é uma intrusão desavisada e absurda, e, a partir daí, tudo o que você diz, propõe e oferece é, certamente, não uma surpresa, mas um aviso para o despertar.

Depois, veio outra carta. Recebi um *e-mail* da secretária do Departamento de Letras avisando que havia chegado um envelope com o adesivo de Urgente. Respondi pedindo que o abrissem e vissem se não era proposta para cartão de crédito, clube de campo, essas coisas...

Não. Dentro havia outro envelope, pardo e lacrado inscrito com Pessoal — Confidencial — Remete: Roberto C.V.

Obriguei-me a ir a São Paulo buscá-lo, já imaginando ter que provar o amargor e os destemperos que este tipo de carta libera em quem as escreve e, desgraçadamente, em que as lê.

Bom, você mesma julgará. Não sinto impedimento amoroso, ético ou de educação em passá-la a você, principalmente porque, em alguns pontos, no mínimo, ela indica erros em sua percepção do senhor seu recente ex-marido.

Cretino,
Teria asco em escrever seu nome.

Você deve estar muito satisfeito com a perturbação que conseguiu introduzir na vida de Lúcia. Você, que deve se considerar tão sabido, não percebeu que ela tem a saúde mental frágil, que todo aquele entusiasmo em reatar o contato com você era uma manifestação do estado da doença dela, um estado delicado que tem sido, inclusive, já há algum tempo, acompanhado por psiquiatra.
Isso mesmo, idiota: tratamento psiquiátrico, com remédios controlados e mesmo algumas internações.
Li as cartas pueris de vocês. Fiz isso aconselhado pelo próprio médico a quem havia relatado o estado de excitação e crise que ela estava vivendo desde que iniciou esta imbecilidade. Li, contornando o oferecimento cândido dela própria para que acompanhasse estes delírios fabricados. Procurei e achei os sinais de perigo que exacerbavam a doença.
Ela sequer disfarçou o nome de Ricardo, um sujeito desprezível que, como você, aproveitou-se da condição dela para enredá-la em sentimentos falsos. Inclusive, para arrancar dinheiro.
Reconfirmei também os sinais de sua baixeza. A caricatura injusta do Carlos Alberto — que você diz C.A.P. —, uma pessoa a quem você sempre invejou pelo sucesso, posses e posição.
Não esperaria outra coisa de você, professorzinho medíocre que é, recolhido e protegido pelo manto burocrático

da Universidade. E, esta sua historieta africana, infantil e incongruente, dá bem a ideia do tolo literário que você é. Bem típico do "quem sabe faz, quem não sabe, ensina", não é mesmo, seu medíocre?

Fique você advertido que será responsabilizado (em toda a extensão que sua burrice deixar entrever) por qualquer dano causado a Lúcia. Saí de casa por uma questão de prudência e também de decência. Mas estou atento. Isto eu lhe garanto.

Não imagine que as cinzas do caso antigo de vocês venham dar substância a algo no presente ou no futuro. Se houver futuro para você, seu imbecil.

Aí está.

Talvez devesse ir até ele, com dois padrinhos para aprazar um duelo...

Mas, agora, estou de volta ao sítio onde a noite se apresenta majestosa. Uma noite mexicana com constelações de "calaveras" bordadas sobre veludo profundamente negro.

Cuide-se de tudo.

Amorosamente,

Pedro.

Fim de tarde com leões

Pedro,

Ainda estou em choque com a carta do Roberto. Nunca imaginei que fosse capaz de tamanha baixeza e agressividade. Menos ainda de relatar, de forma inequivocamente distorcida (e conveniente), o que tenho passado nos últimos anos. Sim, recebi tratamento cuidadoso e, como já te contei, faço análise semanalmente, mas usar minha fragilidade para interferir em nossa relação? E eu que pensei que ele não havia invadido minha privacidade, você tem razão, a percepção que tinha do Roberto é ilusória.

Tivemos uma briga feia ontem. Depois de receber sua carta, saí furiosa de casa e o encontrei no hall do banco onde trabalha, a três quadras daqui. Lá mesmo começamos uma discussão de intensa mágoa dos dois lados. De início, negou ter te contatado, depois usou de péssimas palavras para denegrir sua imagem, como se pudesse surtir qualquer efeito. Esquece que fomos casados, tivemos um filho e juramos cumplicidade mútua. Fez promessas idiotas de amor e pediu para voltar para casa. Disse que aceitaria a continuidade de nosso "romance no papel" (pode?).

Proibi o Roberto de me procurar, aliás, sempre desconfiei que nosso encontro não tenha sido tão casual como ele sempre fez parecer. Além de trabalhar perto de minha casa, morava — antes de se mudar para meu apartamento — no prédio da frente, coincidência demais, não? E tem também um senhor que fica bem em frente à minha janela do quarto que me perturba... já o flagrei de binóculos algumas vezes, até chamei a polícia outro dia, mas não me deram ouvidos. Incompetentes!

O velho não faz nada demais, mas fica horas me observando, principalmente quando estou em frente à TV; segue meus movimentos dentro de casa. Só consigo me livrar de sua indiscrição quando vou à cozinha que não tem janelas. Minha cozinha é pequena, o refrigerador anda quebrado, então passo pouco tempo por lá, é um refúgio para escapar desse senhor. Semana passada, coloquei a TV em cima do fogão e assisti a três filmes sentada na mesa da copa, pelo menos evitei o olhar inquisidor do vizinho.

Ontem, coloquei uma música alta e me pus a dançar, queria ver até que ponto ele aguentaria me observar. Sabe que até ensaiou uns passos? Bem descoordenados. Ele é alto, cabelos grisalhos e movimentos bem espaçados. Parece ter dificuldade para andar, talvez a idade. Não sei como aguenta ficar horas em pé me seguindo como uma sombra indesejada. Veste-se com discrição, de branco, como pai de santo, um contraste com seu comportamento de "voyeur" nojento, e bebe todos os dias. Parece muito com meu pai. Você se lembra do meu pai?

Esses dias tenho pensado muito nele, sabe? Principalmente na música "era uma casa muito engraçada, não tinha teto, não tinha nada", que cantava para me fazer dormir. Ele era um pouco ríspido, duro até, mas no fundo tinha um coração de manteiga, sua postura militar nunca me enganou. Mamãe tinha intenso ciúme de nossa relação, papai sempre ia ao meu quarto antes de falar com ela. Houve brigas sobre isso, lembro.

Não aguento mais brigas: com Roberto, as lembranças de meu pai, com Dr. Manoel, e até com você. Queria uma trégua do mundo, estou cansada.

Sua Lúcia.

Fim de tarde com leões

Lúcia,

Temi o entrevero praticado no *hall* do banco. Nunca é possível prever a reação de um sujeito que se considera ferido. Sobretudo deste dissimulado que bancou o cordeirinho todo o tempo. Ameaçou-me, sim, mas foi por carta, e não creio que venha a passar disso, caso contrário, teria logo vindo em pessoa. Com você é diferente. Ter pedido para voltar mostra que ele luta pela posse e não contra a perda. Coisa do bancário, esta contabilidade de prejuízos e lucros. Evite contendas, principalmente porque você não está em débito.

Quanto ao velho do binóculo, por mais aborrecido que seja, não há o que temer. Idoso, sozinho, com dificuldade para andar, bebendo... Vida miserável leva o coitado! A única diversão dele, você sonega, escondendo-se na cozinha, negando partilhar sua graça e beleza.

Aliás, não é esta situação parente da "Janela Indiscreta", de Hitchcock? O filme é uma crônica alegórica do casamento ou da observação dele. Da janela, um fotógrafo com a perna engessada espia os prédios que cercam um pátio. As janelas são nichos, desvãos de um pequeno universo de solitários, solteirões, recém-casados e torturados de tédio marital. O próprio fotógrafo reluta em se casar com a insistente socialite (Grace Kelly, imagine, aos vinte e poucos anos, linda como a princesa que viria a ser... meu Deus, há loucos para tudo!).

Enquanto fotógrafo e Grace jogam o xadrez de negaças e seduções, em um dos nichos, um velho parece ter matado a mulher e a transportado em frações.

Bom, você viu o filme. Passo então ao desfecho, quando o fotógrafo cai da janela. Na versão que imagino, o filme fecha com o suposto assassino recebendo a mulher que, de fato, havia viajado. Há uma aglomeração: vizinhos, curiosos, a polícia. O fotógrafo jaz, mortíssimo, estatelado no pátio.

A mulher pergunta ao velho o que houve. E ele, carregando as malas para o apartamento:

— Uma moça, uma loura bonita, empurrou um sujeito janela afora. Ele tinha a perna engessada. Ficava lá, espiando todo mundo com um binóculo.

Enquanto isso... no mundo real...

Quando comprei o sítio veio com ele um casal de moradores, Gumercindo e Isaura, gente da região, de meia-idade, sem filhos. Mantive-os sob regime decente. Assinei carteira, mandei ajeitar banheiro e cozinha da casinha em que moravam, instalei telefone, parabólica, comprei novos móveis, geladeira...

Antes, viviam muito mal de um roçadinho de verduras. Agora, Gumercindo cuida também das piscinas dos sítios grã-finos da vizinhança e Isaura faz a ronda das faxinas.

Somado isso ao que pago, de salário, vivem confortáveis. Fico feliz também em tê-los por perto. Isaura cozinha bem e, de vez em quando, peço que prepare para mim alguma extravagância com galinhas ou leitões. Gumercindo sai-se razoavelmente como mecânico curioso e trata das panes habituais da minha velha caminhonete.

Hoje foi dia de cuidar do tanque dos patos, que estava imundo e aterrado com a última enxurrada. Gumercindo fez o trabalho mais pesado, mas acho que me esforcei com louvor e galhardia na remoção do entulho. Fiquei exausto.

Depois da janta, espichei-me na rede da varanda com uns originais de poesia que um ex-aluno teve a inoportuna gentileza de enviar-me com pedido de opinião e crítica. Não era tão ruim, a coisa. Versos soporíferos, curtos, em compensação.

De repente, vi algo se mexer na cadeira de vime, bem ao fundo do alpendre, na penumbra.

— Gumercindo? — indaguei.

— Não, meu caro, somente eu — uma voz mostrou-se, em inglês.

Uma silhueta definiu-se na pouca luz. Fixei a vista.

— Ôgui! — surpreendi-me. — O que diabos você faz aqui?

— Nada, nada. Exatamente nada. Andava por aí, resolvi vir lhe ver.

— Andava? Como?

— Com as pernas, ora, meu caro. Andar é um costume que tenho quando não há grande coisa a fazer.

— Você me assustou, homem de Deus!

— Por quê? A culpa está mordendo seus calcanhares? Há matadores rondando a propriedade?

— Não é bem isso. Essa visita, assim... Chegue-se mais.

— Não, obrigado. Estou bem aqui. A cadeira é boa. A luz me incomoda um pouco.

— Não está cansado da andança? Não quer entrar, comer, beber algo?

— Grato. Comi uns figos do seu pomar. Bebi da água do poço...

— Os figos estão verdes, Ôgui. Ainda não é temporada.

— A mim, pareceram bons. A água, já bebi melhores e, também, piores. Sem ofensas a seu poço, entenda.
— Claro, claro, Ôgui.
Ele me pareceu mais moço e mais alto, não deu para ver bem.
— A que devo a honra, quero dizer: como estão as coisas?
— Como poderiam estar? Você fugiu, lembra?
— Fugi, Ôgui? Não, amigo. Sempre pensei em voltar. Eu disse...
— "Para seus pagos".
— Isso mesmo. E há uma pessoa... uma mulher... consideramos reatar. É tentador e, talvez, necessário.
— E isso era motivo para nos tirar tão miseravelmente da sua vida?
— Tirar quem da vida, Ôgui?
— Nós todos. Eu, Willow, o Presidente, a República nova, o Moçambique, o projeto da Beira...
— Está louco, homem? Que tenho eu a ver com isso tudo? Você fez um convite, eu fiquei de estudar. Com ressalvas, que deixei claras.
— Não a ponto de desaparecer de repente, enfiar-se neste sítio, passar a cuidar de patos e galinhas.
— Bom, eu precisava tomar uma decisão. Desculpe.
— Não é o caso para desculpas. As coisas não estão se movendo sem você. Há gente que depende de ações e medidas para continuar tocando a vida, não sei se você sabe ou apenas não é sensível a isso.
— Você me dá importância excessiva, meu caro.
— E você, de menos, meu velho.
Ele afundou, aborrecido, na cadeira de vime. Ouvi os estalidos da palhinha. Do fundo, evitando olhar para mim, indagou:

Fim de tarde com leões

— E a mulher?
— Que tem ela?
— Ela sabe dos quantos e ondes você anda metido?
— Naturalmente. Na medida do possível. Não temos segredos. Vivemos juntos um bom pedaço. Tivemos um filho... morreu garoto.
— E quer se casar com a mesma?
— Por que não?
— Não sei. Há muitas outras no mundo.
— Ora essa!
— Eu mesmo, a meu modo, me casei com várias...
Ele silenciou. Vi o rebrilho de seus olhos mirando o vácuo da noite.
— ...e, mesmo assim, só tive filho com a qual não me casei — ele disse, sob sustenidos de rememoração.
— Você tem filho, Ôgui? Eu não sabia.
— Só um filho. Você o conheceu.
— Conheci?
— Claro. Willow.
— Nossa, Ôgui! Willow é seu filho? — perguntei, com os olhos claros de Willow perseguindo minha questão e minha surpresa.
— Sim. A mãe era religiosa de uma missão holandesa. Eu era muito jovem. Foi uma história triste e difícil. William foi criado em casa de parentes meus, em Okebe. Protegi-o e o ajudei como pude. Mandei-o estudar na Europa. Na Rússia e na Suíça. O engraçado do destino é que, agora, é ele quem me ajuda e protege. A mãe morreu há pouco tempo, na Holanda. Viu-o poucas vezes, antes disso.
— Imagino como foi complicado.
— Muito. Ainda é. Não podemos conviver nem nos comportar como pai e filho. Dói, às vezes.

Ele pausou, dentro de um suspiro fundo. Retomou:
— Você tem visto seu filho?
— Ele morreu, Ôgui, já disse.
— Sim. Sim. E?
— Morreu garoto... num acidente.
Ele não deu atenção:
— Você não pode enxergar nada no estado de fuga em que você vive, meu caro professor... professor... Pedro. A perspectiva distorce a percepção.
Ele levantou-se para ir embora, sem se despedir. Desceu os degraus da varanda e seguiu por dentro do jardim. No meio, voltou-se:
— Você ainda não se convenceu de que é rejeitado aqui, não é? Em todo caso, se quiser retomar as coisas, sabe onde nos encontrar.
Veio um ruído de passos, do lado do canteiro das hortênsias. Desta vez, era mesmo Gumercindo, fazendo seu périplo de vigia.
— Falando sozinho, professor? Bem que a Isaura diz que o senhor deveria se casar de novo — ele gracejou.
Endireitei-me na rede, colhendo os papéis, inteiramente sem graça.
— Não, Gumercindo. Estava lendo em voz alta. É costume antigo. Está tudo bem por aí?
— Tudo bem, professor.
— Boa noite, Gumercindo.
— Boa noite, professor.

....

Escrevi esta carta antes de ir me deitar. Tive, de novo, daquelas insônias brabas que tanto lhe irritavam.

Espero não sonhar. Tenho medo dos sonhos, hoje em dia. Ou de noite.

Beijos, Pedro.

Esses africanos são mesmo carentes e reagem com furor (e agressividade) a qualquer ameaça de abandono. Vir da África até o Brasil para te acusar de tê-lo tirado "miseravelmente da sua vida"? Nem eu faço um dramalhão desses. Ok, até faço, mas com propriedade e direito adquirido. Fiquei surpresa com a história do Willow, o submundo tem seus segredos, não é?

O Roberto já é história, não se preocupe, sei dos perigos que a rejeição oferece, ainda mais para ele que tem um passado de ausência afetiva total (o pai e a mãe morreram num espaço de dois anos, quando ele era ainda criança de berço). Os avós eram descompensados, deixavam o menino sozinho à noite com pessoas diferentes, não queriam gastar dinheiro com babá fixa, um descompasso no desenvolvimento do Roberto que até hoje procura pelo colo da mãe e pelo direcionamento moral da figura paterna que nunca existiu.

Vejo nos croquis que me enviou do sítio a realização — nunca tardia, diria você — de nosso sonho, a minha bananeira em particular. Lembro das brincadeiras que você e o Andrezinho faziam sobre meus costumes "hominídeos" de comer banana o tempo todo e do jeito mais infantil possível: amassada com leite em pó em cima. Você sempre interpretou isso como um resgate de um pedaço da infância, puro saudosismo, sei lá. E sabe que era?

Antes de morrer, minha mãe cochichou para mim: "Deixaria o mundo feliz se pudesse comer banana amassada agora".

Meus olhos brilharam porque até então sequer lembrava que ela havia sido a responsável por me apresentar a esse refinadíssimo prato. Estranho como lido com naturalidade com minha amnésia infantil. Dr. Manoel deixou claro, logo no primeiro dia, que esse seria nosso primeiro desafio: o de recuperar lembranças dos primeiros anos de vida. Até agora, sem grande sucesso.

Quer saber? Eu morro é de medo de descobrir o porquê desse vazio. Vai que eu relembro algo escabroso? A mente é sábia, apaga o que ainda não é possível suportar por pura proteção de nossa sanidade, e a minha já não é lá essas coisas. Você tinha uma teoria parecida, mas a atitude era bem mais protetora que a do Dr. Manoel. Nunca me forçou a lembrar. Esses analistas são canibais! Alimentam-se das sombras de nossos porões.

Hoje, como banana do mesmo jeito e com a sensação gostosa de ter minha mãe ao meu lado. Fiquei muito triste, à época, de não poder realizar seu último pedido — negado veementemente pelos médicos. Outra racinha cruel.

Tem outra coisa sobre a qual conversamos em seu leito de hospital: você. Ela nunca se conformou com nossa separação. Por mais que se esforçasse em me acolher, sua solidariedade sempre pendeu para o lado do "Pedrinho". Queria te perguntar uma coisa, responda se se sentir à vontade para isso. Diversas vezes tive a sensação de que ela desligava o telefone quando eu chegava na casa dela. Era com você que falava?

Desconfiei disso tantas vezes, mas nunca tive coragem de perguntar. Temia que fosse verdade, que para ela você ligava, dava notícias, enquanto eu amargurava sua ausência. Sinto um pouco de culpa por ter causado tanta dor à minha mãe em seus últimos anos de vida, pois coincidiu com nosso rompimento, e eu estava inconsolável, cansei de dormir chorando em seu colo.

E, já que o momento é de tirar dúvidas, meus pais jamais teriam tido dinheiro para pagar aquele hospital. Foi você também?

Sua,

Lúcia.

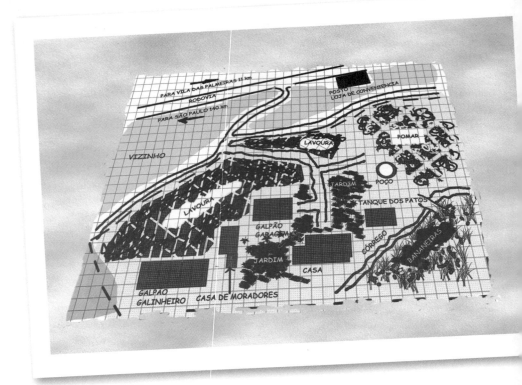

Lúcia,

NÃO.

Não paguei o hospital para sua mãe. Nem poderia fazê-lo, com todas as dificuldades que cercaram nossa separação e o aturdimento que me tomou com a morte de Andrezinho... e que me deixou tolhido para os negócios paralelos que reforçavam meu orçamento. Para ajudar na hospitalização, recorri a dois médicos, colegas da Universidade e sócios do hospital. Deviam-me favores pelo apoio que lhes dei nas obsessivas campanhas pela Reitoria.

Esta foi a moeda disponível, paga com um sentimento de fracasso. O estado de sua mãe era de desesperança. Restava apenas dar conforto a ela.

SIM.

Há razão em seu desprezo pela classe médica. É detestável a exibição daquela liturgia arrogante em face dos leigos doentes. E há o comportamento de sacerdotes materialistas, não somente por fé científica, mas, muito, pelo apego imoral aos faustos do mundo. Vendo a Morte exercer-se cotidianamente com determinação inelutável, nossos doutores são presa fácil das ambições por dinheiro e bom fruir da vida.

Nos tempos da faculdade, gostava de brincar com Arturo, um colega de futebol, estudante de medicina. Ele tinha essas pretensões à grandeza. Nascido em família muito pobre, imaginava enriquecer como médico, ter coisas, viajar pelo mundo...

Eu dizia: "Arturo, quando você se formar, não faça o juramento de Hipócrates, faça o de Epicuro".

Ele devolvia minha impertinência com um gesto obsceno.

Não deu certo para ele, coitado. Especializou-se em psiquiatria, e a vida o foi atirando aos cantos obscuros do serviço público. Morreu o que... há dois, três anos?

SIM, SIM.

Sua mãe falava comigo ao telefone e desligava quando você chegava. Isto ocorreu algumas vezes. Ela retomava a ligação para continuar a conversa do ponto em que parara, sem se alongar em explicações sobre a interrupção ou sua presença.

Sofreu com nossa separação, mas a entendia como algo natural nas circunstâncias e que a ruptura era temporária, que voltaríamos a estar juntos. Seria como um hiato, um momento ruim que passaria quando o luto por Andrezinho viesse, implacavelmente, a nos unir, mais que a nos separar.

Sempre admirei a serenidade dela em aceitar a corte que eu, casado ainda, fazia à filha moça. Diferentemente de seu pai, a quem eu temia como a uma espécie de guardião mitológico de donzelas. Sua mãe, não. Havia nela a certeza grata de que eu não era um predador, que havia um amor que eu tinha construído com cuidado e paciência para não incorrer nos erros pretéritos, urdidos no ímpeto da juventude.

SIM & NÃO

Também tenho dificuldades para evocar e simbolizar episódios de infância. Algumas vezes cai um "slide" que me impressiona, mas é como um flash: todos os detalhes devem estar lá, mas a própria veemência da iluminação e a brevidade do evento destroem a imagem. Um desespero.

Em compensação, um cheiro — não digo um cheiro forte, bom ou ruim —, um aroma dissolvido no ambiente, um traço apenas, é capaz de disparar associações e lembranças.

Pode ser de um livro fechado há tempos, de uma caixinha de guardados, a brisa longínqua da maresia... tudo me remete a momentos da infância que não consigo datar ou precisar, mas que, tenho certeza, são desta época.

É um consolo saber que houve este tempo, que não caí neste mundo já pronto, como *homo faber* sofredor. Até porque, com a idade, atormentam-me os *déjà-vus* e os estranhamentos de lugar.

TALVEZ.

A naturalidade com a qual você comentou a visita/aparecimento do engenheiro Inyanga, aqui no sítio, deveria ter me desviado para longe de fantasmagorias.

Ocorre que, ontem, no fim da tarde, desci ao posto de gasolina da rodovia para comprar pilhas para lanterna. Há lá uma loja de conveniência onde sou, também, freguês do café expresso.

Fui a pé, vestido como estava, em trajes de jardinagem, que eram esses — e você há de elogiar meu apuro metrossexual:

- Macacão de brim azul sobre uma camiseta puída;
- Suéter bordô enrolado no pescoço (proteção contra o vento cortante que desce a serra ao pôr do sol);
- Botas de plástico, amarelas, de construção;
- Velho boné "I Love NY";
- Óculos para longe-perto, com aros de falsa tartaruga.

Entrei na loja e quem vi, comprando água, na companhia de um homem jovem?

Nenhuma outra, senão Mildred. Ela, exatamente ela, sem tirar nem pôr.

Meu susto foi tão grande, que mudei de direção e me agachei por trás da estante de revistas, fingindo procurar alguma.

Ela havia notado minha chegada, mas não me reconheceu. Após registrar minha imagem num clique de foto psíquica, voltou-se para a prateleira de água mineral e continuou a escolha.

Girei, escondido pela estante, observando-a e ao companheiro. Parlamentavam, criteriosos, sobre qual marca comprar.

Fiquei lá, de cócoras, até que pagaram e saíram em direção ao carro deles, que estava sendo abastecido.

Vi que, antes de partirem, ela apontou ao companheiro a loja de conveniências. O sujeito espichou o pescoço e olhou. Balançou a cabeça, dizendo que não. Ela voltou a apontar. Ele olhou e não disse nada. Arrancaram na direção da Vila das Palmeiras.

Bom, foi isso. Quem sabe não serei também candidato a prospecções argentárias de Dr. Manoel, já que o pobre Arturo partiu para um lugar onde estas coisas se explicam mais facilmente?

Beijos,
Pedro.

Fim de tarde com leões

Botas de plástico amarelas? Vomitaria se as visse. Prefiro seu novo estilo jovial, o de tênis colorido, mas parece-me que já abriu mão das caminhadas.

Talvez esteja sendo um pouco paranoica, mas você não acha coincidência demais essas pessoas, ao mesmo tempo, em São Paulo? Londres e África ocupando o espaço de seu descanso merecido. Passa por minha cabeça a ideia da Mildred ser um pau mandado da corja. Não os deixe infiltrar em nosso futuro, por favor.

E, por falar nisso, minha porta permanece entreaberta, tem até uma bolinha de poeira que se forma devagarzinho, discreta e insegura de seu lugar no mundo.

Também ando insegura. De um lado, você confidencia ao Inyanga uma possível retomada do relacionamento, com um tom de "bliss" contido. Depois, se cala.

Enquanto isso, dedico o vasto tempo livre que tenho a mudar o astral de meu apartamento para recebê-lo. Sei o quanto gosta de um ambiente acolhedor, e o espaço tem pouco disso. Passei a observar, meio a distância, cada esquina, e, com espanto, verifiquei que não tem um milímetro sequer de mim mesma, menos ainda de você ou de nós.

É um apartamento pequeno e frio, nenhum quadro nas paredes, nem mesmo aquelas peças de metal para velas que espalhei por nossa casa, lembra? As mobílias são itens quase que obrigatórios e burocráticos: uma pequena mesa redonda com duas cadeiras, um sofá bege que ocupa grande parte da sala, mesa de centro com vidro já bastante arranhado pelos copos que deixo por lá, e uma TV nada discreta que pouco uso.

Pior ainda é o quarto. A cama é de ferro sem encosto, aparece apenas o colchão daqueles americanos, bem altos; uma mesinha do lado direito (o esquerdo permanece seu), com abajur Tiffany (único luxo da casa); e armários do século passado de madeira escura. Estou com uma antipatia enorme desse lugar, é como se tivesse morado aqui de passagem, uma passagem longa com sensação de coma profundo, sabe?

As mudanças — bem radicais — estão na minha cabeça porque tenho dúvidas se não seria melhor sair daqui de uma vez, começar outra etapa da vida longe dessas lembranças vazias, frutos de um passado adormecido.

Há outras transições em curso, essas mais íntimas que preferiria sussurrar que pôr no papel. São acompanhadas por lingeries ousadas, coloridas, perfumes fortes — como sempre gostou e pediu — e desejos contidos ao longo dos anos sem você. Agora me sinto pronta para aquelas fantasias que relutava até em ouvir, espero que ainda existam. De minha parte, surgiram algumas.

As perspectivas de mudanças encontram ressonância em você? Devo ter esperanças?

Sua Lúcia.

P.S.: Obrigada por minha mãe, sempre senti sua presença nos últimos dias com ela.

Lúcia,

Envio recorte de jornal, de quatro dias atrás, com notícia curiosa perdida entre as páginas de política e polícia:

> **Foi detido ontem, ao desembarcar no Aeroporto de Cumbica, procedente do Canadá, ****** *******, 58 anos, ex--Secretário Executivo do Ministério d* ***********.**
> **A prisão deveu-se a processo em curso referente à percepção, pelo ex-secretário, de comissões pagas por empresas internacionais fornecedoras de estoques reguladores, em governos passados.**
> **Uma denúncia da Procuradoria Geral da União, acatada em primeira e segunda instância, teria sido a causa da detenção.**
> **O Sr. ******, que se negou a fazer qualquer declaração, foi levado à Delegacia da Polícia Federal, nos Jardins.**
> **A prisão, feita na saída do desembarque internacional, gerou confusão e atraiu curiosos e também fãs e repórteres que aguardavam o cantor jamaicano Rickie Johnson, que fará um show no Estádio do Morumbi, no próximo domingo.**
> **Os advogados do Sr. ****** chegaram ao aeroporto quando este já havia sido conduzido pela Polícia Federal e declararam que entendiam a prisão como "arbitrária, sem fundamento jurídico e absolutamente irregular". Disseram que foram tomados de surpresa pela chegada do cliente e que, de imediato, "vão requerer o competente habeas corpus".**

A esta notícia de prisão vem contrapor-se a sua indicação de "porta entreaberta". Uma porta que dá acesso ao apartamento que você, ao contrário de mim, julga antipático.

Você o descreve com precisão substantiva, apenas escolhendo adjetivos que o enfeiam e o tornam agreste. Quem sabe, mudasse você os adjetivos, ele não tornaria a vida mais confortável?

Seria bom poder fazer estas viradas de vida com base nos estilos de redação.

Ao longo de suas cartas, há uma melodia de sereia cujos versos são de convite e tentação.

Há dias (e noites) que me embalo na nostalgia desse canto...

Bom, bom... Não quero ser evasivo a seus convites. Eles vêm se repetindo com a persistência da quantidade e com qualidades, inclusive, maliciosamente eróticas.

Você me pergunta se deve ter esperanças. Minha querida, não seria eu a indagar-lhe isto?

Devo ter esperanças de ainda servir para companheiro, marido, amante ou mesmo "valet de chambre"? Diga-me, impiedosa e esperançosa mulher: você apostaria a sua solidão inquieta e produtiva contra a presença incômoda de um cavalheiro fanado, já deformado por hábitos e condutas antissociais?

Vez por outra chegam tentativas de resgate e salvação a este meu universinho tacanho e ranzinza. Nenhuma tem a força persuasiva das suas cartas apaixonadas e extremas.

Semana passada, um grupo de alunos e jovens professores que encontrei numa palestra...

Bom, era uma destas palestras de um professor-doutor estrangeiro, um pouco *stand comedian*, que encanta os jornalistas com obviedades bem faladas e seduz os mandachuvas da Universidade com a promessa de reciprocidade ao convite...

(Meu Deus... Você está vendo que me entrego às amarguras de aposentado...)

Onde estava? Sim: estes alunos e professores fizeram-me muitas festas, sabiam que eu habitava este sítio perdido e, praticamente, forçaram-me a convidá-los para um fim de semana campestre. Expliquei que meu sítio não tem as comodidades e instalações daqueles de meus ricos vizinhos. Nada adiantou. Querem um churrasco, um almoço...

São uns oito ou nove, entre machos, fêmeas e incertos. Virão daqui a dois domingos.

Tive uma ideia. Você não gostaria de vir até aqui para esta contradança? Posso ir buscar você logo cedinho, pela manhã. Ou, você pode pegar o ônibus para a Vila das Palmeiras e descer no posto, conforme o mapa.

(Devo lhe dizer que passei oito anos para escrever as três linhas acima e ainda me assusto relendo-as.)

Diga-me.
Pedro.

Pedro,

Estou grávida.

 Soube dois dias antes de receber sua última carta. A sensação que tenho é de terror, um sentimento de perturbação inconformada. Mais ainda agora que você consolidou nossos desejos no convite ao sítio, que é bem mais do que soa. Não sei o que fazer, Pedro, você bem sabe que nunca quis ter outro filho, nem na época em que o Andrezinho pedia um irmão, a maternidade me assusta.
 A notícia veio semana passada, eu fazia exames de rotina quando o médico sugeriu, pelos sintomas que achava ser de virose (enjoo principalmente), o de gravidez. Paralisei com o positivo, uso DIU desde a época em que estávamos juntos, como pode? Não sei ainda se contarei ao Roberto, que sempre me pediu um filho, e que tem o direito de saber.
 Pensar em sua reação é o que mais me assusta. Por favor, não reaja sem pensar, não responda essa carta com desamor, e, acima de qualquer coisa, não desista de nós.

 Sinto-me perdida.

 Sua, ainda e sempre,
 Lúcia

Lúcia,

A notícia de sua gravidez não me emociona.

É provável que venha a nos afetar, mas, para mim, passa-se em um território estranho e afastado da nossa vida, ou do que o destino nos deixe traçar.

Não suponha nem me impute frieza. A resposta a esta situação está em suas próprias palavras. Você não diz "Espero um filho" (fato amoroso, maternal); você diz: "Estou grávida" (fato biológico feminino). E segue com: "terror, perturbação inconformada". Ou: "nunca quis ter outro filho, a maternidade me assusta, sinto-me perdida".

Você hesita em contar a gravidez ao Roberto. Acha que ele tem o "direito" de saber. Não estou seguro de que, dadas as circunstâncias, você tenha o <u>dever</u> de contar.

Pelo que você me revelou de sua relação no casamento, esta gravidez acidental e indesejada seria fruto contingente da (desculpe-me) "nauseante intimidade corporal", para citar palavras de uma mulher que se casou aos dezesseis anos com um homem de trinta e cinco: Sonia Tolstoi.

Ela deu ao escritor treze filhos e teve três abortos. Grávida aos quarenta anos, tentou, secretamente, abortar o décimo segundo filho.

Devo dizer, embora isso não se incline a sugestão ou diretiva, que você já é uma mulher madura, muito provavelmente no fim da fertilidade. Os riscos envolvidos não são negligenciáveis.

Quanto a nós... Ah! Quanto a nós!...

Creio que somos e fomos, ambos, partícipes de desastres e infortúnios maiores que esta ocorrência que tanto lhe assusta.

Imagino, com meus olhos de velho (que hoje vive, como Leon Tolstoi, em um sítio), que um filho faz-se com o amor unívoco do casal ou, e, mesmo unilateralmente, com uma tácita, misteriosa, magnética, incontrolável paixão física. Todas as outras conveniências e inconveniências devem encontrar abrigo nos capítulos políticos e dispositivos éticos "do direito da mulher ao próprio corpo... etc. e tal".

Cuide de sua alma e do seu corpo.
Amorosamente,
Pedro.

Fim de tarde com leões

Meu Pedro,

    Se tivesse recebido sua carta antes de fazer a besteira que fiz... Contei ao Roberto. Mais uma vez, tive contato com um lado dele que desconhecia, ou nem pensava existir. Primeiro, fez juras de amor e promessas de eternidade; depois, ao ver meu descontentamento, ameaçou me processar, caso decidisse pelo aborto. E eu nem tinha mencionado essa possibilidade, até porque não passa por minha cabeça, pelo menos não agora. Ainda estou processando o resultado do exame.

    Saí do restaurante arrependida e muito machucada pela rispidez dele. Disse que se eu voltasse para você, entraria com processo para ter a guarda da criança, que jamais te permitiria conviver com um filho dele. E revelou que fez cópias de nossas cartas, no caso de precisar provar que houve adultério. O pior é que quando disse isso, tive uma crise de enjoo, emocional, claro, e quase vomitei em cima dele (bem que merecia!). Corri para o banheiro, quando voltei, ele não estava mais lá.

    Em poucas palavras, dei um tiro no pé. Mas ajudou a me mostrar que não é hora ainda para decisões, até porque outras me rondam no momento. Recebi uma proposta de uma grande produtora de moda, parece que o mercado já esqueceu o escândalo, ou será que me perdoou? Talvez pelo prêmio que acabo de receber. Uma foto minha de making off foi eleita na internet, por mais de 200 mil usuários e profissionais do setor, como a melhor do ano. Pode? Logo eu, que me rebelei?

    A oferta é irrecusável: um salário que é o triplo do que recebia, horário flexível e só fotografarei a elite, o que facilita e muito meu trabalho. As sessões serão reduzidas a um terço do tempo porque não preciso repetir tanto os takes nem ter um número absurdo de opções para escolha. E, melhor, posso ir de bicicleta, fica a uns quatro quilômetros da minha casa. Como tudo tem um lado negativo, inclui viagens. Já vou eu, se aceitar, cortar os céus do mundo morrendo de medo.

Passo por um momento delicado, de grandes mudanças e decisões. Resolvi, mesmo sabendo que o tempo está contra mim na gravidez, refletir com tranquilidade sobre o bebê e tudo que ele significa ou pode significar para mim, e para nós. A única certeza que tenho é que não encontrarei mais o Roberto, ele não fará parte dessa ponderação. Uma pena tê-lo procurado.

Ah! E quanto ao Tolstói, não se entusiasme tanto com ele, radicalizou demais no fim da vida, acabou por abandonar a família, inclusive. Prefiro você com seu jeito mundano — embora um pouco monástico no estilo de vida, às vezes. Que continue a beber bons vinhos, curtir boa comida — inclusive carne, que Tolstói parou de comer —, e permaneça com essa mistura entre a simplicidade de sua alma e a urgência no viver. O exagero tira o brilho dos olhos, não acha?

Sua,
Lúcia.

Fim de tarde com leões

Lúcia,

Realmente foi uma enorme tolice.

Não há sentido em comentar ou analisar este quadro algo patético e as ameaças idiotas que o seu talvez ex--marido proclama em ritmo de novela mexicana.

Eu deveria ficar mais tranquilo, porquanto você arranjou um trabalho que parece lhe entusiasmar. Confesso, porém, que a situação, como eu lhe disse, passa-se num território estranho aos nossos laços e possíveis projetos. Isto parece contaminar com indiferença e alienação meu estado de espírito.

Desejo-lhe sorte na tarefa (ou nas tarefas) que você empreenderá. Sempre é surpreendente ver a rapidez e pragmatismo com os quais você pode conciliar o problema tão perturbador de uma gravidez indesejada e temporã com a oferta encantadora e cosmopolita do novo trabalho.

Estou preparando o tal churrasco para a trupe de curiosos. Será neste fim de semana. Pena, mesmo, que você não possa nem deva vir.

Darei notícias, caso estas lhe apeteçam.

Pedro.

"Talvez" ex-marido? Como assim? Por um acaso você acredita, com filho ou sem, que eu voltaria para o Roberto?

Quando você entra nesse humor "indiferente", "alienado", questionando nossos "possíveis projetos", vêm à mente as inúmeras brigas que já tivemos sobre essa postura de autoproteção inútil que adota de vez em quando. Como o dia em que arrumei o primeiro emprego (coincidência?). Até os três anos, Andrezinho teve minha dedicação irrestrita, mas você queria mais, sempre quis.

Naquela época, o dinheiro vinha fácil e você usava isso para me convencer a ficar em casa com o menino, até o dia em que decidi voltar a fotografar. A princípio, manteve-se distante de minha escolha, dizia que era "indiferente" (note: mesma palavra que usa agora), e resistia a falar do assunto. Bastou eu aceitar o emprego para a aparente indiferença se transformar em verdadeiro chilique de ciúmes, lembra? Fez com que eu prometesse chegar cedo todos os dias, "para cuidar do Andrezinho", claro, algo que segui fielmente durante nosso casamento.

Mas não estou reclamando, nem se preocupe. Na verdade, me faz bem reviver esses momentos intensos e mostra que seus afetos estão no mesmo lugar, que eu ocupo um espaço ainda vibrante em sua vida, que estamos vivos um para o outro.

Se quer mesmo saber, aceitei a oferta e ainda dei uma de bacana, enchi o contrato de exigências, tipo primeira classe nos voos internacionais e ajudante para carregar os equipamentos. Acho que tentei não ser contratada, até falei sobre isso com o Dr. Manoel hoje, uma espécie de autoboicote, sabe? Não deu certo, aceitaram tudo, e lá vou eu começar na próxima segunda-feira. E, o mais importante, não farei sessões noturnas, só em emergências. Satisfeito?

Esse churrasco me provocou ciúmes. Pois é, pasme! Eu mudei, agora falo sobre esse "sentimento menor" abertamente. Fiquei pensando nos jovens que estarão aí, quem sabe ex-alunas fãs do professor que dedicou seu tempo e paixão a apenas uma aluna, deixando um rol de carentes para trás. Talvez nem tenha esse direito, mas hoje prefiro falar tudo que sinto, é mais saudável a longo prazo.

Sobre a gravidez prefiro não falar, até porque não tenho sentido diferença alguma no corpo ou bem-estar, chego até a desconfiar que o teste estava errado. Ilusão, sei. Deixemos esse assunto para lá, pelo menos por agora. Mas não continue a se enganar com essa história de apatia, minha experiência é que ela sempre vem antes da tempestade. Já disse, e repito: prefiro que coloque para fora o que sente.

Estou aproveitando os dias pré-trabalho para mudar a casa. Embora você tenha dito que lhe parece razoável e que reclamo de boca cheia, continuo não gostando do que vejo. Já comprei um sofá novo e, hoje à tarde, vem um rapaz furar as paredes para eu pendurar quadros que estão encostados na máquina de lavar, e vou encher o lugar de porta-velas. Também investi em cortinas, um tapete colorido para dar um "up" na sala, e pus uma televisão LCD de 42 polegadas na parede. Já está com outra cara, difícil é parar de assistir a filmes, estou me atualizando nos lançamentos da locadora. Gosto do bairro e resolvi ficar mais um tempo por aqui.

Para a cozinha, fiz um projeto bem legal, tudo branco com bastante vidro, parecida com a nossa.

O quarto permanece como está, esse eu só renovo com sua participação. Quem sabe colocamos o espelho que sempre quis ter no teto?

Saudades do seu corpo,

Lúcia.

Lúcia, Lúcia...

Sinto-me lisonjeado com a amorosa diatribe com a qual você rememorou nossos bons tempos. Ciúmes, zelos, possessividade, tudo o que faz a vida de um casal menos tediosa e mais produtiva, mais dinâmica. Há, até mesmo, uma sugestão de que eu era manipulativo. Jamais pensei que tivesse este dom, à época. Hoje em dia, então, me faltariam a mecânica e a paciência para este mimo conjugal.

Reli, várias vezes, essas suas lembranças dos "momentos intensos", e o fiz para mantê-los no presente, como se fôssemos casados.

Vou ao fim da carta e encontro aquele exclamativo "saudades do seu corpo", em palavras tão físicas, com volume e peso tais que as fizeram despencar para o fim das linhas, atravessando a revoada de sentimentos, as queixas atenuadas pelo tempo e, mesmo, a pormenorizada descrição da reforma na tua casa.

Meu corpo lamenta não corresponder às suas lembranças. Perdeu a serena estabilidade da meia-idade, aquela musculatura encapada por alguma gordura do conforto... Apresenta-se agora (ou, melhor: preferiria não apresentar-se) magro e gordo em lugares contraditórios a qualquer estética apolínea. A coluna encurvou-se e as costas se abaularam. Mais: os pelos demitiram-se da tonalidade e espessura viril — estão grises, uma penugem simiesca como uma névoa suja no peito e no dorso.

Músculos e tendões estão em bom estado funcional, devido à jardinagem, mas a pele, flácida e algo enxundiosa, não os reveste com a devida sintaxe,

Fim de tarde com leões

teimando em balouçar ao movimento do enxadeco e do ciscador.

Temo os espelhos mais que os olhares alheios. Espelhos de teto são os mais temíveis. Fazem tudo flutuar sem prumo de gravidade. A última vez que me vi num deles, pareci-me a um batráquio de risível abdome com caniços em lugar de pernas verdadeiras, boiando na marola dos lençóis.

Também sinto saudades do seu corpo e sinto excruciantemente não ter a perversão nem a santidade para adorá-lo enquanto ele for assumindo a rotundidade da prenhez pela semente de outro homem.

****

Passou-se o churrasco sem maiores perturbações, graças ao empenho de Isaura e Gumercindo. Ela, excedendo-se nos dotes culinários. Ele, adaptando a mobília severina às expectativas campestres dos visitantes da cidade.

Você deve lembrar-se de Evânia, que foi do Departamento de Economia da Getúlio Vargas. Morreu, não sei se você sabia. Um derrame matou-a, quando tirava o carro da garagem para ir ao trabalho. Ainda moça. Caiu sobre o volante e a buzina ficou tocando.

A filha, Giovanna, contou-me. Ela veio, convidada por conhecidos — acompanhando a "caravana" — para ir à fazenda dos tios que fica a uns 50 quilômetros, passando a Vila das Palmeiras.

Vai para lá "passar uns tempos", disse-me, creio que para curar-se de uma relação rompida... com um colega do curso de teatro, algo assim, foi o que entendi.

Para não variar, nestes tempos malucos, ao fim da tarde, ameaçou uma chuva daquelas, e a trupe apressou-se em pegar a estrada, de volta. Giovanna estava num fusquinha velho e temia pegar a estrada para a fazenda que fica "um atoleiro tipo calda de chocolate" nos temporais, segundo palavras dela.

Convidei-a a ficar. Isaura levou lençol e cobertores para o escritório e ajeitou um leito possível no velho sofá de couro.

Veio a chuva, como prometido. Fui dormir cedo, com a cabeça inundada de bebidas variadas.

Pela manhã cedinho, acordei ansiando por café forte. Isaura estava na cozinha torrando pão na chapa.

— E a moça? — perguntei.

— Já saiu — ela disse, com um risinho enviesado.

— Assim, tão cedo... Tomou café, ao menos?

— Não. Mas ela volta, professor. Foi só ali, no posto, comprar umas coisas.

— Ah, bom.

— Bonita ela, não é, professor? — estendeu-me um pratinho com torradas e a caneca grande de louça, com café.

— É, sim, dona Isaura.

— E nova. Bem nova.

— Pois é, pois é.

Fui para a varanda bebericar o café e ver os estragos que se repetiram no jardim. Logo, a moça apontou na estradinha, andando pelas margens para evitar a lama.

— Bom dia. A lama lhe persegue, pois não?

Ela tirou um sorriso simpático de dentro da respiração ofegante.

— O senhor não imagina como.
— Pode tirar o senhor.
— Você não imagina quanto — ela repetiu, sublinhando a frase.
— Toma café... leite?
— Tomo café.
— Isaura já botou a mesa. Vamos lá.

Estranho vê-la à mesa, mordiscando biscoitos, olhando as paredes quase nuas e a pouca mobília da sala, passando manteiga meticulosamente nas torradas, em camadas muito finas.

— Dormiu bem, naquele improviso?
— Tive insônia, mas a culpa não foi do improviso.
— Sinto muito.
— Não sinta. Foi até bom. Aproveitei para ler o romance em forma de cartas que estava na escrivaninha. É seu?

Nesses momentos, é preciso dar uma pancada na testa, punindo-se pelo desleixo. Foi o que fiz, acompanhando um "porras" à palmada. Havia me esquecido de guardar as transcrições impressas na gaveta!

— Ah, meu Deus, já vi que fiz mal — ela estampou uma cara de decepção e deixou cair as mãos sobre as coxas. O som produzido foi carnal e volumoso, muito diferente do meu, ao bater-me na testa.

— Não, não. Não tem importância — menti vergonhosamente, ainda com o ressoar do barulho das coxas dela aturdindo meu raciocínio.

— Tem certeza? Faz de conta que não li. Posso tentar esquecer... se for possível.

— É um exercício, apenas. Não é exatamente meu campo.

— Pareceu-me muito bom. A mulher gosta mesmo dele... e a gravidez...
— Você leu até aí?
— Li tudo. E reli as partes sobre a África. Acho que são as melhores partes, quer dizer... para o meu gosto.
— Por quê?
— Ah! Não sei. Parece coisa cinematográfica. Os tipos são engraçados.
— Engraçados?
— Sim. É uma farsa, não é? E aquele engenheiro? Uma espécie de alma vagante...
— Chama-se Inyanga.
— É verdadeiro? Existe? Aí é demais!
— Não vamos exagerar. É uma distração de aposentado.
— O senhor... você não parece aposentado.
— Aposentadíssimo, você não imagina o quanto — deixei no ar, com uma pitada de vingança.

Enfim, antes do almoço, o sol havia chegado forte e o solo chupou a água com avidez e competência. Ela partiu. Perguntou-me se poderia aparecer: "Aqui não é longe da fazenda do tio".

— Venha quando quiser, "mi casa es su casa", brinquei.

— Tenho uma ideia — ela disse, ao volante, puxando o fusquinha de ré para o rumo da porteira.

— Eu não duvido — apenas sussurrei, lembrando-me que a mãe dela morreu dentro do carro, dando partida.

Gritei por Gumercindo:

— Gumercindo, a chuva destroçou as nuvens mais uma vez!

Ele chegou com as ferramentas.

— Professor, por que o senhor não desiste das nuvens?

— Bem que eu queria, Gumercindo. Bem que eu queria.

Beijos, Pedro

Pedro, Pedro....

Não sei como teu corpo te aguenta. Desde o dia em que nos conhecemos que você o diminui, essa história de dizer que é "magro e gordo em lugares contraditórios" vem da primeira vez em que nos despimos um para o outro. Foi o oposto do esperado: a "menina" mais nova tirou a roupa indisplicentemente enquanto você hesitava por não se sentir à vontade, sempre falou mal da própria pele e também — talvez especialmente — dos pelos que o incomodam até hoje.

Mesmo assim, não fez feio, devo dizer, mas foi preciso bastante tempo para que enfrentasse espelhos, seus eternos inimigos. Engraçado ter insistido em instalar um bem grande em cima de nossa cama, então voltou atrás?

Evânia morreu? Claro que me lembro dela, uma bela mulher: morena, robusta na medida certa da sensualidade, e com ares da aristocracia que costuma rondar os corredores da FGV. A sua discrição é o que me vem à mente quando penso na primeira pessoa para quem você confidenciou nosso romance — à época quase proibitivo no meio acadêmico. Ela me tratou com polidez e fez questão de emitir o que pensava de nós quando nos encontramos em uma de suas palestras. Eu estava perdida naquele labirinto de salas quando ela me interceptou:

— Imagino que seja a Lúcia, companheira do professor Pedro?

— Sim — disse meio sem jeito.

— Guardei lugar na primeira fila, venha comigo, que a apresentarei aos colegas.

E assim ela me introduziu a todos como a companheira do respeitado professor, sem dar qualquer margem a especulações e julgamentos de valor. Senti-me respeitada e nunca esqueci esse gesto. Fico triste em saber de sua morte.

Parece-me que a Giovanna herdou a curiosidade e a delicadeza da mãe. Quer dizer que viramos obra de ficção? Para mim é impossível manter um distanciamento que me permita pensar em nossa história como algo a ser "degustado" por leitores, soa tão estranho. E ela é bem perspicaz, enxergou a integridade de meu amor, não foi?

++++++++++

Comecei o novo emprego, uma delícia! Não pensei haver espaço para trabalho sério no mundo da moda, eu estava definitivamente no lugar errado. Essa agência prima pela qualidade e não economiza em equipamentos e instalações. O estúdio é high-tech e tem até uma copa (com cozinheira) para nos mimar com lanches deliciosos, tudo feito na tranquilidade, os horários são marcados, nada da maluquice irresponsável à qual me submetia na outra agência.

Ontem, cliquei uma iniciante de dezoito anos. Chama-se Magda, vem do interior de Santa Catarina (que continua um celeiro da beleza nacional), econômica nas palavras. No primeiro minuto, me chamou ao canto e disse:

— Nunca pensei em ser modelo, sou desengonçada, sabe? Para onde devo olhar quando me fotografar?

— Não se preocupe, eu dou as coordenadas, e já cliquei várias meninas novas, sou craque em deixá-las relaxadas — disse, sem acreditar em uma palavra sequer. O que mais poderia fazer?

Ela surpreendeu, disse que entrou no YouTube e assistiu a vários filmes de sessões de fotos. "Decorei os movimentos e caretas", revelou encabulada.

E decorou bem, mal precisei falar. Essa moça vai despontar logo, tem uma fotogenia invejável e me parece esperta. Já leu a literatura obrigatória do mercado e me confidenciou que não pretende ficar refém da moda: "acho uma futilidade que será temporariamente necessária, mas a manterei longe de meus princípios", falou baixinho enquanto comia frutas que fez questão de trazer.

Contou-me que sua mãe morreu cedo, quando tinha apenas dez anos, e teve que cuidar dos dois irmãos mais novos. Nunca abriu mão dos estudos, quer ser psicóloga (previsível para quem já tem tantas feridas internas), e pretende trabalhar exaustivamente para construir uma vida confortável para a família. Durante sete horas, atendeu o telefone todas as poucas vezes que tocou, eram os irmãos pedindo pequenas orientações domésticas, um deles não conseguia achar sua mochila.

E assim se foi meu primeiro dia no trabalho. Na saída, Magda cochichou enquanto se vestia:

— Sou sua fã. Alguém tinha que pôr a boca no trombone sobre a crueldade da indústria da moda. Boa maneira de começar, tenho certeza de que me dará sorte.

Trocamos os números dos celulares, quero tê-la por perto.

Sobre a gravidez — que continua a ser estranha ao meu corpo e mente —, estou próxima a uma decisão. Peço-lhe paciência e generosidade.

Que bom você estar por perto. Sempre.

Sua Lúcia.

Fim de tarde com leões

Lúcia,

Fim de semana de folga para Isaura e Gumercindo. Foram de caminhonete a São Paulo, muito arrumados. Dona Isaura trocou o vestido cotidiano e evangélico por algo mais vistoso e confuso, de grandes estampas. Botou batom e armou o cabelo. Gumercindo, bem barbeado e com um casaco de couro de motoqueiro... Lá se foram.

Rondei o sítio procurando o que fazer, ciscando folhas como as galinhas, cortando um galho seco aqui e acolá, jogando ração para os bichos, olhando a água passar, rasa, sobre o pedregulho do córrego, tentando uma conversa idiota com os patos. Um deles prestou atenção e esticou o pescoço em lastimável imitação de ganso. Logo desistiu de mim e juntou-se ao resto da turma, do outro lado do tanque.

Recuperei-me deste bucolismo para esquentar o almoço. Comi. Liguei a televisão. Cochilei sob o grasnado de outro pato: o âncora da CNN querendo desenrolar o que os americanos jamais irão entender sobre o Iraque e adjacências.

Tentei ler, dando-me conta de que relia as mesmas páginas de outros tempos. Troquei de livros: o mesmo. Na tevê, a conversa, então, era sobre a obesidade, inclusive nas forças armadas.

Assim, foi entardecendo.

Saí para uma volta.

Gosto do lusco-fusco do começo da noite e posso caminhar pelo sítio quase no escuro. Há uma lâmpada fraca num poste, perto do galpão-garagem. Deixo acesas algumas luzes no alpendre, e, da entrada do sítio, posso ver a casa aumentada e destacada por este artifício.

Faço essas expedições quase sem tropeços ou hesitações, munido de um mapa mental das poucas trilhas e da locação das árvores. À noite, o cheiro das plantas é mais intenso, e isto também serve de guia.

Quando cheguei perto da touceira dos jasmins, ouvi:

— Ei! Aqui. Junto do poço!

Dentro do susto, reconheci a voz de Inyanga mudada num acento lusitano.

— Putaquiopariu, Ôgui, você quer me matar, homem?

— Eu? Não. De forma alguma. Assustou-se? — ele voltou ao seu inglês escolar.

— O que é que você acha? — aproximei-me do poço, tateando, à falta do mapa mental dissolvido no susto.

Ele estava lá, encostado na beirada do poço, sob farrapos da luz longínqua que se filtrava pelos arbustos. Era mesmo o velho Ôgui, recomposto em idade e tamanho, diferentemente da outra visita. A seus pés, uma mochila, ou saco, ou valise mole, não dava para ver bem. Resolvi-me em indiferença e coragem.

— Tudo bem, Ôgui? O que o traz aqui?

— Bem, o mesmo. Ia passando, vou ao Chile, resolvi ver como você está.

— Estou bem, Ôgui. Vou levando, obrigado.

— Estive em Londres. Fui no seu antigo trabalho. Ou, devo dizer, somente, seu trabalho?

Não respondi a isso. Ele tornou, como se tivesse tido resposta:

— Tive reunião com o engenheiro Gunnar e aquele bebum do Lidderdale. Um aditamento aos nossos projetos na província de Gokwe. Você se lembra do projeto, não é?

— Devo lembrar?

Fim de tarde com leões

— Bom — ele deitou uma gota de decepção na voz —, estamos tocando como é possível, mesmo sem você.

Ele balançou um ramo de figueira a seu lado.

— Sem frutos, não é?

— A safra acabou. Há um tempo para semear, outro para colher — glosei.

— Então... Passei pela sua sala. Estava fechada. Girei a maçaneta, só para desencargo de consciência. Travada. Bati à porta. Nada. Veio pelo corredor um pássaro das ilhas, um efeminado de cabelos punk. Ele disse: "Viajou. Faz tempo". "E a secretária?", indaguei enquanto ele se afastava meio que bailando. Ele voltou-se e olhou-me com aquele desprezo racista residente até nos brancos menos favorecidos: "A Mildred? Ah! A Mildred voltou para o "love" brasileiro dela. Estão no Brasil, os dois... na maior farra, imagino". E foi-se.

— Interessante...

— O quê?

— Nada, nada. Você me procurar, lá.

— Sempre haveria uma chance. Bem, em todo caso, antes da reunião, perguntei de você ao Lidderdale.

— E?

— Você sabe... Aqueles ingleses... cheios da reserva mental que eles imaginam ser pura estratégia e sabedoria. Disse-me, desviando o olhar, que você viajara ao Canadá a serviço e logo mudou de assunto para um tópico qualquer, sem importância.

— Trataram você mal, Ôgui.

— Ah! Nunca espero grande coisa dessa gente. E tenho coisas mais relevantes para pensar. Em todo caso, eu também me tranquei para ele. Gosto do esconde-esconde. A propósito, como conseguiu sair da cadeia?

— Não sei do que você está falando.

— Sabe, sim.

— Não sei, estou lhe dizendo.

— Está certo. É ruim entrar, e pior é ter que explicar como saímos. Também já fui preso.

— Não diga...

— Era moço. Antes da Independência. Não reconheceram minha prática de medicina.

— Você não é engenheiro, homem?

— Agora. Antes fui uma espécie de médico. Uma prática mais para o lado psíquico, não sei se você me entende.

— Não quero entender.

— Não seja tão formalista. Você mesmo não sabe se é professor de literatura ou economista, administrador... O que isto importa?

Considerei que não importava mesmo. Ele estava inquieto, talvez incomodado com as lembranças. Mudei de assunto.

— E o Presidente?

— Pior. Praticamente cego. Willow cuida de tudo. O Presidente fica na casa de campo, com médicos de plantão. Nadiedja se mudou para lá para dar assistência.

— Quem é Nadiedja, alguma enfermeira russa? Nadiedja que dizer esperança...

— Qual russa, qual enfermeira, que esperança! Você a conheceu. A secretária privada, vamos dizer assim. Aquela com a mutilação na orelha...

— Ah! Essa?

— Ela mesma.

— Sempre fiquei curioso sobre aquele ferimento. Foi nas guerras?

— Nas guerras do ciúme e da política interna, meu caro. Ela foi amante do Presidente. A primeira-dama mandou fazer o serviço.

— Há uma primeira-dama?

— Não mais.

— Compreendo.

— Compreende mesmo?

— Compreendo sua terra, Ôgui. Corro o risco de ficar, no mínimo, sem as orelhas se contrariar ou não aderir aos projetos da Nova República?

— Para que servem orelhas, meu amigo? Na nossa idade, já não enfeitam grande coisa, e, para óculos, sempre há lentes de contato — ele riu.

— Por que não pede ao Gunnar para assumir o lugar que você me impõe?

— Você acha que aquele personagem doméstico de filmes de Bergman tem as entranhas para começar algo novo? Estes tipos exaltam a melancolia como um atributo de virilidade, meu caro.

— Gunnar nos salvou do oficial do facão.

— E isto deverá ser a única coisa da qual se lembrará ao matar-se de tédio.

Ele se abaixou e sacou da mochila uma pasta de documentos.

— É secreto. Leia. Contamos com você, apreciamos você. Faça-nos este favor. Você tem tempo para estudar e fazer uma crítica. É melhor do que ficar grasnando para os patos.

— Ficou me espionando, Ôgui? Poderia ter me chamado, almoçaríamos... Eu mataria um pato...

— Devo ir. A estrada é longa. Um abraço.

Quase ao mesmo tempo em que ele andou para dentro do pomar, uma luz forte projetou as barras do portão em longas sombras paralelas, rasgando a estrada de acesso. Dois gritos agudos e fanhosos irromperam no escuro, calando de imediato o crepitar dos grilos. Buzina.

Um carro estava à porteira, os faróis ofuscando minha vista. Aproximei-me e as luzes passaram a farol baixo. A lâmpada interna acendeu-se, débil. Era Giovanna.

Ela botou a cabeça para fora da janela:

— Telefonei várias vezes. Ninguém atendeu. Da estrada dá para ver, no alto, as luzes acesas na casa. Passei para uma visitinha, você se incomoda?

— Não, não me incomodo. É um prazer.

Abri a porteira e fui na frente, andando, indicando o caminho para o carro, como se fosse preciso. Ela parou embaixo da lâmpada do galpão. Desceu. Estava vestindo uma roupinha leve e diurna com um pulôver amarrado na cintura — um hábito horrível comum aos jovens. Riu, muito luminosa.

— Consegue ler no escuro — apontou para a pasta na minha mão.

— Ah, não... — eu disse, escamoteando para trás os papéis, como um menino pego com uma revista de sacanagem. — São coisas que estava lendo. Ouvi algo no lado do pomar, saí para ver. Acho que foi o barulho do seu carro subindo a ladeira.

— Pode ter sido. Está sozinho?

— Inteiramente. Folga do pessoal. Vamos entrar, vamos entrar.

— Fica sozinho, assim? Não tem medo de assalto?

— Os ladrões não ficam atraídos por este recanto lúgubre. Assaltam de preferência o posto e a loja de conveniências. Entraram uma vez em um dos sítios vizinhos, mais bacana.

— Sorte.

— Bom, o Gumercindo faz a ronda à noite. Temos também uma espingarda enferrujada no fundo de algum armário.

— E cachorro? Por que não tem um cachorro?

— É contrário à nossa dieta. Criamos apenas o que gostamos de comer. Por falar nisso, já jantou?

— Fiz um lanche, antes de sair da fazenda.

— Sente-se ali — apontei para uma das cadeiras de vime do alpendre. — Ou, se preferir, fique na rede. Bebe alguma coisa, toma álcool?

— Desde que não seja álcool combustível... — ela preferiu a cadeira.

Entrei e aproveitei para guardar à chave os documentos do Inyanga, antes que ela os quisesse decifrar como literatura. Passei pelo banheiro, escovei os dentes e ajeitei o cabelo, admirando-me destes cuidados corteses, mas admitindo-os como necessidades de educação, talvez. Voltei com taças e uma garrafa de vinho.

— Tinto, chileno, gosta?

Ela fez que sim com a cabeça.

— Hoje é dia de Chile. Um amigo está indo para lá. Coincidência.

— Ok.

— Que andou fazendo?

— Andei a cavalo, de bicicleta, tomei sol. Há uma piscina. Fiquei lendo, dormindo cedo e acordando tarde. Vida exaustiva.

— E seus tios?

— Adoram quando estou lá. Me mimam. Complexo de *empty nest*, eu acho.

— Bom.

— Não acho ruim.

— E seu pai? Onde anda?

— Depois da morte de mamãe, nos mudamos para o Rio Grande do Sul. Demorou pouco para ele se casar de novo. Tem uma construtora com a nova mulher. Estão ganhando dinheiro. Fiquei com eles uns tempos, depois voltei para São Paulo para estudar teatro. Neste meio-tempo eles produziram um meio-irmão para mim. De certo modo, como se diz, "fiquei no canto", perdi as prerrogativas de filhoca do coração.

— Pena.

— Não tenha. Mandam-me grana. Vez por outra vou vê-los. Papai vive outra vida, passou uma borracha no passado. A mulher dele, a Nina, prefere assim.

— Isso é possível?

— Para eles, funciona. E você?

— Eu? Que é que tem? Acho que meu lápis veio sem o lado da borracha. Tem duas pontas. Quando tento apagar algo, risco de novo.

— É viúvo também, não é? E sua fama entre os colegas é de sedutor...

— É uma calúnia e uma aleivosia, posso garantir. Aliás, nem preciso. Basta que você me olhe.

— Mas foi casado várias vezes, não foi?

— Me casei jovem, e, como a maioria, me separei, me casei de novo com uma moça que sua mãe conhecia — uma ex-aluna —, daí a fama injusta. Tivemos um filho, que morreu. Ele teria agora, mais ou menos, a sua idade. Depois disso, me separei de novo, passei um tempo fora, viajando. Voltei a me casar.

— Aí ficou viúvo.

— Pois é. Ela teve um câncer. Ou, já o tinha sem manifestar-se, desde quando nos casamos. Logo veio uma agonia intensa e rápida. Não gosto de falar nisso.
— Sinto muito.
— E você? Depois destes exemplos educativos, pretende se casar?
— Não passa ainda pela minha cabeça. Saí de um namoro firme, há pouco tempo, acho que já lhe disse.
— Disse, assim por cima.
— Não há muito mais a dizer. A relação não era muito produtiva, entendo agora.
— Produtiva, como? Você fala de... filhos?
— Ih, nem pensar! Principalmente com aquele lá.
— Então, o quê?
— Produtiva tipo pensar juntos sobre as coisas, ter projetos e ambições... ser imaginativos, enfim.
— Não é preciso namorar ou viver juntos para isto.
— Ele é bonito...
— Ah, bom... aí é outra história.
— ...mas, é burríssimo...
— Ninguém é perfeito, diria Boca Larga.
— Quem?
— O milionário apaixonado por Jack Lemmon, mesmo quando ele tira a peruca e revela ser homem.
— Ah! O filme! Com Marilyn Monroe, não é?
— Este mesmo.
— Estou falando sério.
— Eu também. Outro dia passou um documentário sobre esse filme, e, nele, até a sra. Suzana Sontag aparecia fazendo raciocínios espantosos sobre o travestismo.
— Você não quer falar sério.
— Não quero mesmo. Vai mais uma taça de vinho?

Ela quis. Bebemos toda a garrafa (Giovanna mais que eu) até que ela perguntou as horas e despediu-se, às pressas:
— Tenho um encontro com a turma de teatro... lá em Sampa. Minha nossa! O tempo voa! Eu volto aqui. Temos o que conversar.
— Temos? Então volte.
— Ligo antes.
— Prometo atender. Boa noite. Dirija com cuidado.
Duas visitas relâmpagos num só fim de semana. Creio que estou me tornando mundano.

Beijos,
Pedro, ex-ermitão.

P.S.: Sobre nudez e pelos.

Já que me lembrei de filme da sessão nostalgia, há um outro — "Pic-Nic", traduzido para "Férias de Amor", um título ambíguo e pobre. O filme é com Kim Novak, muito loura e bela, e William Holden, já meio gasto, fazendo o papel de um filho da terra que volta, derrotado, mas vivido.

Será fatal o romance entre os dois, com a juventude dela, a aproximação sedutora do homem maduro... essas coisas.

Bom, há uma cena introdutória deste tipo de sensualidade que é forjada no torso nu e já não juvenil de Holden. Acontece que Mr. Holden era peludo e houve que depilá-lo para as tomadas.

Não teria a menor importância deixá-lo hirsuto, fosse a parceira amorosa de sua idade. Contracenar amorosamente com a Novak, em opulenta adolescência, mesmo que ele estivesse vestido, traria à cena a memória insistente da pelagem. E, com a pelagem, a silhueta da maturidade do corpo.

Você dirá que isto é apenas cosmética de Hollywood, nos anos 1960.

Por outro lado, vejo que a volta do homem maduro e vencido ao condado é uma reaproximação inconsciente a uma juventude, talvez feliz e, mesmo, glabra. Daí, que a depilação ganhe sentido, mesmo extrafilme.

Hollywood escreve certo por quaisquer linhas tortas, eles se gabam.

Quero conhecer essa Giovanna, garota esperta. Parece-me uma boa companhia para você: é direta, gosta de vinhos e precisa claramente de atenção "paterna", já que o pai dela passou a tal borracha nela. Nem deve ser assim, ciúme de irmão mais velho que perde a realeza é sempre megalo, ela é quem deve ter se afastado do novo casal, mas terá tempo para enxergar a situação com mais clareza. Ajude-a.

A Silvinha me ligou ontem, está saltitante com a saúde recuperada e cheia de planos. A má notícia é que quer tentar novamente a vida de modelo. Decidi que apresentarei a Magda a ela, pelo menos terá uma colega com juízo e maturidade; sei que é perda de tempo tentar demovê-la da ideia, o melhor mesmo é acompanhar seus passos. Pelo menos demonstra que não irá cair mais nas inúmeras armadilhas da carreira, e a mãe me prometeu que estará com ela todo o tempo.

Você acredita que a Magda recebeu ofertas de uma agência para que seja acompanhante de luxo? E olhe que não se trata de uma espelunca de esquina, ao contrário. Sempre ouvi cochichos sobre esse tipo de "mercado paralelo" nas agências, mas nunca havia tomado conhecimento de investidas diretas como essa. Ela rodou a baiana – diz a menina que, com classe –, seja lá o que for que isso signifique. Para mim, ou se tem classe ou se roda a baiana, os dois juntos são filosoficamente incompatíveis.

Os últimos dias têm sido de corre-corre... é que a moda se prepara para a nova estação, são meses de cão para quem precisa atualizar catálogos, editoriais e material para divulgação de peças. As agências parecem formigueiros, e a minha não está diferente, tenho clicado pelo menos 12 horas diárias. Ontem teve barraco na entrada de meu estúdio. Como sempre, uma mãe histérica achando que sua filhinha tem mais direito que o resto.

Elas já estavam esperando umas duas horas para a sessão de fotos quando uma beldade – parece-me que velha conhecida e desafeta da modelo — chegou furando fila. Bastou dar um sinal para a recepcionista para entrar no estúdio (não era o meu, felizmente). Atrás dela, sorrateiramente, a tal mãe que já entrou aos gritos questionando o privilégio da menina que não havia sequer sentado na sala de espera.

Nosso principal produtor, o Oswaldo, foi chamado para apaziguar os ânimos. Ninguém melhor que ele, o homem é um lorde, cavalheiro das antigas, sabe? Sua beleza já acalma qualquer mulher: alto, moreno-índio, cabelo perfeitamente cortado e negro, olhos verdes e um sotaque que nunca descobrimos a origem, acho que croata, uma verdadeira miscigenação estética milagrosa onde tudo se encaixa. Ele anda com o charme de uma pantera, lentamente e com confiança de quem enxerga tudo ao seu redor.

O incidente tinha sido um grande mal-entendido, a modelo entrou no estúdio para pegar um casaco que havia deixado no mesmo dia pela manhã. E a mãe-chilique voltou para a sala de espera cabisbaixa, mais ainda sua filha, que não sabia onde enfiar a cabeça de vergonha. Serviu apenas para elas serem atendidas em seguida, acho que Oswaldo quis se livrar do pacote.

Minha gravidez teve um efeito avassalador na Marcela. Ela decidiu que, com marido ou sem, adotará uma criança. Hoje é o dia D, vai comunicar ao Vítor que não abrirá mão da maternidade. Estou tensa porque não tenho ideia do que isso provocará na relação. As poucas vezes que o encontrei e falamos do assunto — quando ele perguntou sobre o Andrezinho —, dizia-se convicto de que adotar não seria opção para eles.

Sempre me foi estranha a noção de que toda mulher possui o viés e desejo da maternidade, algo que nasce com a gente e do qual não nos desvencilhamos. Você bem sabe que o Andrezinho foi bem-vindo e amado, mas eu não teria optado por ser mãe, essa ideia nunca me pareceu dogmática. Mas já vi amigas que se sentiam incompletas sem filhos, como se houvesse um espaço a ser preenchido no DNA da humanidade. A Marcela é assim. Espero que o amor deles sobreviva à tamanha imposição.

    Meu apartamento está cada dia mais aconchegante, é como se só agora estivesse morando lá. Tenho a sensação de que os últimos anos foram desvividos por mim, e tento preencher esse lapso de prazer. Outro dia mergulhei no desatino: comprei um gaveteiro chinês, caríssimo, pois a paixão era antiga, (sim, vermelho), formato desigual, todo pintado à mão, um luxo! Talvez assim eu consiga guardar todos os meus penduricalhos em um lugar só, cansei de perder anéis e colares. A última gaveta, maior de todas, reservei para suas cartas e a reconstrução de nossa história.

    Tirando o cansaço, estou bem disposta. Tenho feito exercício quase que diariamente, descobri uma academia em frente à agência para onde fujo quando tenho uma brecha. É bem pequena, de bairro, superorganizada pela dona, a Heliana, uma senhora aposentada, atleta na juventude que sempre sonhou em ser dona de seu próprio negócio. O foco do lugar é treinamento de triatletas, algo que ela mesma comanda com punho de ferro. "É preciso disciplina militar", repete toda vez que conversa com um candidato a aluno.

    O lado bom da milica é que supervisiona até nós, meros visitantes de suas instalações. Eu mesma já fui orientada cuidadosamente por dona Heli, como a chamamos. Corrige postura, indica o melhor peso e tem um olhar clínico para imperfeições musculares. Outro dia, lá estava eu, sozinha, às três da tarde, fazendo musculação leve para o braço, quando ouvi sua observação:

    — Você precisa fortalecer e alongar o esternoclidomastóideo e o trapézio.

    — Hã? Clido o quê?

    Ela fez questão de explicar a importância dos dois músculos: ambos permitem a rotação da cabeça, sendo que o Sr. Clido é vital na inclinação também. Disse a atleta que os meus estão com pouquíssima flexibilidade. Pois então, está explicada minha eterna dor no pescoço.

Tenho que ir, é hora de mais uma sessão de fotos, estava fazendo um lanche e bateu uma saudade doída de você. Dê notícias, logo.

P.S.: Ontem tive pequenos sangramentos que ainda prefiro ignorar. Talvez consequência de meu esforço dos últimos dias, talvez um presságio do que há por vir.

Lúcia,

Você deve ter estranhado a falta de cartas e peço desculpas, inclusive, por não ter dado resposta à sua última, que, no final, falava, com despreocupação ou desatenção perigosa, de um sangramento...

De certo modo, andei doente, e o curioso é que este estado de incômodo, menos físico que mental, veio a ocorrer ao tempo de um convite que me pôs a viajar. Teria motivos para descartar o convite, mas sabe-se lá por qual atração pelo abismo, aceitei-o.

Foi uma conferência sul-americana e caribenha sobre Literatura e Função Social, e a coisa se deu em Caracas. Você pode imaginar o cenário político para este tipo de conclave. Um pano de fundo libertário e algo anacrônico... meio guevarista, bolivariano, também, rasgado por vozes contraditórias de luminares de variados timbres e pelos uivos descontentes de gente que vive em Paris ou Londres, alheia, há tempos, das urgências do populacho tropical insurgente.

Uma comédia de erros que agravaria minha pequena doença burguesa (ou campestre?), não estivesse eu num estado defensivo de torpor e complacência, denso o bastante para barrar intrusões no espírito.

O fato é que essa própria lassidão me fez aceitar convites sucessivos para conhecer institutos e departamentos de letras (é espantoso como os países pobres dispõem de verbas para estes convescotes), e me vi arrastado, como uma mala esfolada e precária, por Cuba, Guatemala, México e ... Texas (que, aqui, estou considerando como um país com todas as prerrogativas de livre expressão e de estado de vigilância adstritas aos chicanos).

Não melhorei nem piorei com este turismo universitário. Comunguei os almoços e jantares sociais, conversei

Fim de tarde com leões

as falas próprias ao pequeno orbe acadêmico, vi sequer uma mulher bonita, tampouco me disseram algo que me transportasse além de minha estupidez benévola.

Deveria voltar, mas, onde, forças? Arrastei-me, por minha conta, para Nova York esperando encontrar lá alguma energia. Tudo pareceu-me baço e senti que havia perdido o entusiasmo pela cidade. Até o cheiro havia mudado, não sei como. Ou era meu olfato, desgastado da acuidade da juventude.

Na rua, pela manhã, andando a esmo contra a corrente do povo que chegava para o trabalho, embarguei as passadas de uma secretária loura, alta e marcial. Ela me olhou num átimo de desprezo, rejeição e proclamação de todos os ódios raciais, afastando-me somente assim, sem um gesto ou vacilação.

Graças a ela, pude voltar.

....

Antes que eu partisse nesta expedição lábil, Giovanna me havia feito uma proposta.

Queria alugar o telheiro que serve de garagem para as reuniões e ensaios de um grupo de teatro. "Gente nova", ela disse. "Com humor", acrescentou, notando meu crescente afundamento na depressão.

— Será só nos fins de semana. Não se preocupe com o trabalho. Faremos tudo. Só vamos precisar de umas tábuas, luzes, uns panos. Vamos improvisar os móveis. Ok?

Deixei acontecer, lembrando-me de Molière. As pessoas mais ricas levavam suas cadeiras para o palco e tinham o direito de estar dentro da peça. Alguns destes "extras" se excediam...

— Ok, se isto vai lhe servir para alguma coisa.
— Ah, vai, sim!

Viajei e deixei Gumercindo e Isaura encarregados de apoio ao empreendimento artístico. Boa gente, os dois.

Olharam-me como se deve olhar para um doido simpático.

Quando voltei, vi as mudanças. O telheiro ficou ótimo, um tanto garrido em cores. Há bancos e mesinhas de tábua, uma larga cortina cortando a largura do galpão, gambiarras com refletores de segunda mão, bem restaurados.

Foi num sábado. Deixei as malas no alpendre e procurei a produtora teatral. Isaura, com um sorriso enigmático, me apontou a direção do tanque dos patos. Patos não havia e a água estava mais clara, suficiente para ver a cor do biquíni de Giovanna, azul, e de outra moça, também aquática, amarelo com estampinhas.

Giovanna pulou a mureta do tanque e veio a mim com um franco abraço molhado.

— Ora, ora, enfim, voltou!

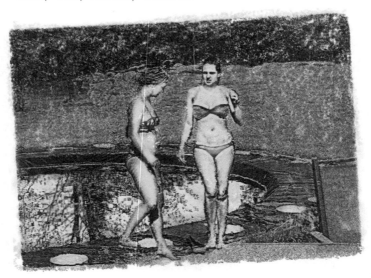

....

Mais sobre isto, talvez, na próxima carta.
Diga-me de sua saúde.
Pedro.

Fim de tarde com leões

Querido,

Enquanto você descobria que o encanto de Nova York se foi, também tive perdas do lado de cá do mundo. No mesmo dia em que te mandei a última carta, há pouco mais de duas semanas, o sangramento piorou e comecei a ter cólicas insuportáveis, até que me convenci a ir a um hospital. Lá fiquei três dias, resultado de minha teimosia e demora em procurar ajuda. Mais uma vez, você estava certo: a desatenção foi mesmo perigosa. Tive infecção que só passou com medicação forte, foram dois dias de febre e dores.

Ainda não refleti sobre tudo que aconteceu, incluindo a inevitável raiva que tive de sua ausência, e do quanto chorei por me sentir tão só. Ambiente de hospital é prodigioso nesse sentido, talvez o branco amplie o tamanho do buraco que existe ao redor de quem está na cama contando os minutos que se arrastam e amaldiçoando a mediocridade de nossa TV.

Magda e Silvinha se conheceram, enfim, cuidando de mim. Na verdade, elas e a Marcela foram as únicas que avisei sobre o aborto espontâneo — detesto esse termo! As jovens modelos se alternaram a dormir comigo, amáveis, cheias de cuidados, até porque sequer sabiam da gravidez e ficaram bem surpresas com a notícia.

Já para a Marcela foi um baque. Logo agora que conseguiu, a duras penas e quase uma separação, convencer o marido a ter um filho. Acho que no fundo fazia planos sobre uma possível amizade entre as crianças, sonho comum entre grandes amigas.

Mas não se preocupe, estou bem e sem sequelas, mas corri alguns riscos, sim, porque a infecção demorou a ceder e tive que me submeter a uma curetagem. "Aborto incompleto" é como os médicos o chamam. O sangramento era apenas parte do problema, um sinal que deveria ter seguido.

Tenho pensado muito nesses últimos dias ("Que perigo!", diria você). Mais que pensado, tenho sentido uma profusão de sensações que nem para o Dr. Manoel eu tenho conseguido traduzir. Só choro, tento fazer algum sentido internamente e nada. Sei que é comum — mesmo em minha situação de pouco apego à gravidez — ter essa experiência de vazio, de dúvidas e confusão após um aborto, mas a mistura com sua falta, com as dúvidas do que será de nós e tantos outros conflitos me paralisaram.

Enquanto isso, nossas vidas parecem cada dia mais distantes: você com sua trupe do teatro a alegrar esse sítio omisso; e eu, fazendo sei lá o quê com a minha.

Tenho que ir.

Lúcia.

Fim de tarde com leões

Lúcia,

O que lamentar ou dizer de algo que não foi uma perda nem um ganho? O risco que você correu, este sim, importa e preocupa, sobretudo quando sinto que instalou em você um sentimento que não é de tristeza precisa e nítida: é uma sombra de desalento que, peço, não deixe prosperar. Se não temos um ao outro, mais ainda, de nós dependemos e necessitamos. Deixemo-nos de lamúrias, agora.

Veja só:

Encomendaram-me um ensaio trabalhoso, algo que versa entre "vetores do urbanismo e lendas urbanas da criminalidade". Você poderia imaginar melhor comédia temática? Pagam bem e publicam em revista acadêmica bilíngue. Comecei a escrever e então...

Estou enfaixado nas costelas. À revelia de Gumercindo, botei uma escada ao lado da parede da casa para remover um ninho de cupim que cresceu num caibro. Faltou-me um degrau e... estatelei-me de banda sobre um seixo grande que havia trazido do córrego para enfeitar um canteiro, à moda japonesa. "Choque de culturas", você dirá, sabendo que, mais ou menos, sobrevivi.

Você sabe que, na minha idade, as quedas físicas vêm acompanhadas de quedas morais. E pelo menos para uma delas, não há fármaco.

Isto foi numa sexta à tardinha, e Gumercindo, irritadíssimo com a "trela do velho", levou-me ao hospital onde constataram ausência de fraturas ou derrames internos. Brutal hematoma e luxação severa e dolorosa em duas costelas e no braço direito. Enfaixado, meia múmia desgraciosa, fui recambiado ao sítio, sob prescrição de anti-inflamatórios e analgésicos. Recusaram com veemência meus pedidos de algum alucinógeno tarja preta.

No sábado, chegou a Giovanna com a amiga do biquíni amarelo. Chama-se Rute e estava mais vestida desta vez. Encontraram-me deitado no quarto, na cama alterada com almofada em ângulo, pois, se me espicho, a dor vence o analgésico.

Passadas as explicações da queda, Giovanna tranquilizou-se e a mim também, com vários exemplos de quedas com *happy end*, entre as quais não estavam a de Adão, nem a de Ricardo III e, nem mesmo, a de Fernando Collor de Melo.

Almoçaram comigo; Rute insistindo de enfermeira, tentando enfiar-me a colher de sopa entre meus dentes encabulados, sob o olhar sério e crítico de Dona Isaura. Mimos.

Enfim...

Giovanna chegou com a ideia de preparar um roteiro para uma peça baseada em nossas (minhas e suas) cartas. O torpor dos remédios não me permitiu recusa nem aceitação, e eu não podia, sequer, dizer que precisaria de sua autorização para isso, visto que a produtora entusiasmada pensa que você é uma ficção.

Fiz que observasse que os textos eram coisas pessoais de gente madura e que o melhor para a trupe seria um texto mais provocador.

Não se convenceu.

"Você mesmo não sabe o que tem ali dentro", ela falou, sizuda.

É verdade, embora nem eu nem você, Lúcia, sabemos direito. Engasguei numa resposta a esta insinuação. Calei-me.

Depois da janta, quando se repetiram os mimos patéticos de alimentar-me, as duas trouxeram televisão e aparelho de DVD para o quarto. Giovanna jogou um travesseiro ao lado da minha rampa e instalou-se sem cerimônias. Rute engatinhou até os controles e ligou os aparelhos. Engatinhou ao revés e encostou-se na cama. Giovanna apagou a luz de cabeceira:

— Queremos que veja isto.

Era algum espetáculo de teatro experimental, em francês mal gravado e com o som piorado pela música eletrônica de fundo. Logo dormi, sob a sedação do jantar e dos remédios.

Acordei, olhos pesados, com um rumorejo e um tremor do colchão. Algo tocou-me a perna e estendi o braço livre explorando o escuro. Rocei a seminudez de um corpo e recolhi o braço. Tentei abrir os olhos dormentes. Um risinho abafado, ou dois sobrepostos, não sei. Uma mão colheu a minha e a guiou, palma para baixo, a um recesso áspero e morno. Prendeu-a ali com pressão suave e intermitente, como se a confortasse de algo. Dormi de novo e não me lembro de nada além disso.

Reze por mim.

Pedro,

No lugar do desalento, que você se acha no direito de "pedir" que eu não deixe prosperar, o que tenta pôr no lugar com sua atitude provocativa de falar sobre Rutes, Giovannas e suas aventuras com elas? Sequer deixou claro qual das duas, ou ambas, estava ao seu lado ao acordar.

Dona Isaura é que está certa: mimo desse tipo de gente vem acompanhado de carência paternal (e esse vazio não pode nem será preenchido por aventuras sexuais, não se iluda). Que pena sua solidão estar sendo preenchida por peles macias, gemidos inexperientes e cabeças ocas.

Quer saber? Pouco me importa. E também pouco me importa sua queda, as luxações e a tentativa da Giovanna de te conquistar com uma peça teatral de quinta com performance de garagem.

Quer transformar nossa história, ou um pedaço mal engendrado dela em ficção? Que faça! Talvez se trate exatamente disso, pelo menos é a sensação que tenho, a de que os últimos meses não me pertenceram e, talvez para você, foram uma brincadeira descabida e sem valor.

A única coisa que não posso prometer é um final feliz e cortinas vermelho-paixão. Teste a criatividade da menina e peça a ela que finalize esse capítulo de nossa convivência.

Lúcia.

Não reze por mim, jamais precisei de divindades.

Fim de tarde com leões

Se a sua última carta é uma peça ornamental num faz de conta de zanga, uma graciosa alegoria da deusa doméstica do ciúme, um movimento no jogo de sentimentos que tem substituído nosso convívio real, vou colocá-la na sequência das outras e lhe dar, depois, resposta mais longa, agora que disponho da outra mão e não estou mais digitando, canhoto, catando milho.

Se não, se ela é genuína, se você acredita e expressa sua verdade nela, se ela é a litania diabólica de uma daquelas destemperadas mulheres que, mãos nos quartos, dá um "baile" no macho que chega em casa bêbado, se é assim, a resposta vai, abaixo, no mesmo tom:

Lúcia,
Quer saber? Pouco me importa.
Recuso seus desaforos e sua censura, porque ilegítimos, hipócritas e, como tal, injustos.

Tenho tratado você com carinho e atenção e sempre o fiz, até mesmo por conta e apesar de sua infantilidade e insegurança perpétuas, talvez mesmo maiores que as da moça que você julga, está a me seduzir (ou a ser seduzida por mim, sob a caricatura de velho fauno, que você enxerga de dentro do ódio).

Estou consciente e alerta e divirto-me com a situação teatral que a mocinha induz, um pouco como os infelizes de casamento... (tive três e o nosso, não posso dizer que tenha escapado do desastre)... sim, bem como eles, que procuram a solidão ou as putas espirituosas para sobreviver ao tédio da cama, da sala e da cozinha.

Tenho respondido às suas rememorações sentimentais, falsas e bregas, suas expectativas de resgatar uma união que você mesma fez perder-se entre a desatenção, a futilidade e a contínua e ridícula mudança de decoração do "lar", sua imitação estilo classe média da vida dos ricos. Seu companheirismo "cúmplice", esta farsa.

Recuso e repudio com nojo sua afetação de esposa virtual, remota e traída, sua pose de Penélope suburbana que, entretanto, deixou-se emprenhar pelo cafajeste de ocasião ou, sabe-se lá, por outro qualquer.

Pedro.

Fim de tarde com leões

Querido Pedro,

Só encontrei sua infeliz cartinha ontem, após passar dias inesperados e maravilhosos na Toscana. Também pouco me importo com suas palavras porque já o vi, inúmeras vezes, explodir nesse tipo de ódio desconstrutivo, raivoso, porém inútil. Inútil porque não perdura, aliás, normalmente vem seguido de uma culpa que deve estar te consumindo há vários dias, principalmente com meu silêncio (inocente).

Prefiro me ater ao que nos une, à beleza do que acabei de vivenciar e que me fez pensar tanto em nós dois. Brega ou não, infantil e insegura ou não, quero **você**, e isso é um fato. Pode até não aceitar tamanha reivindicação, mas não abrirei mão de mais algumas lembranças piegas nossas. Por isso, te faço um convite: venha comigo à Itália enquanto a primavera persiste. Jamais vi cenário mais impressionante; fiquei, em diversos momentos, com a garganta travada de emoção. São quilômetros sem fim de inúmeros tons de verde, amarelo, tantas cores. Tudo isso, quando acompanhado por um bom vinho nóbile de Montepulciano, dos Chiantis e dos Brunellos, então...

Insisto: quero você. Quero nós dois. Por agora, na Itália que você sempre quis conhecer.

Vamos?

Prezada Senhora,

Inadvertidamente, abri o envelope com a carta destinada ao Prof. Pedro Albuquerque-Santos. Sucede que ela veio em nosso despacho da América do Sul e chegou-me ao escritório em meio ao expediente que me é encaminhado habitualmente.

A senhora observará, pelos carimbos, que ela foi redirecionada ao nosso endereço de coleta no Brasil, a partir de postagem na agência de correios de Vila das Palmeiras – SP.

Muito lamento a intrusão involuntária, mas devo dizer que meu conhecimento limitado do português, apenas permitiu-me perceber que se tratava de correspondência de caráter privado. De imediato, tirei, pessoalmente, cópia da mesma, lacrei o original (que devolvo) guardando a cópia, também em envelope fechado e lacrado, em meu cofre pessoal na empresa, sob a ressalva de que se trata de documento particular do Prof. Pedro.

Professor Pedro havia me solicitado o uso de nossos malotes para correspondência pessoal, coisa a que acedi, levando em consideração as dificuldades e injunções políticas do mesmo em seu país. Devo acrescentar que o Prof. Pedro é notável e eficiente colaborador nosso, muito estimado por mim e pela Diretoria.

Por isso mesmo, lamento informar, com genuína preocupação, que há dois meses estamos sem qualquer notícia dele. Seus últimos informes e relatórios nos chegaram da Venezuela e América Central, aonde foi, por nossa necessidade, para contato com órgãos de governo e empresários privados.

Fim de tarde com leões

Tenho tomado iniciativas discretas para investigar o que sucede. O apartamento que ele aluga está mantido e quite através de firma de administração com sede em Paris. Nosso departamento financeiro vem cumprindo normalmente os aportes a que o Prof. Pedro faz jus, remetendo-os à conta indicada por ele, desde o começo de sua colaboração.

Seu médico, Dr. Rahula Chantaka, de nossa clínica conveniada, deu-me conta de um telefonema do Professor, de Nova York, logo após sua estada na América Central. Dr. Chantaka foi profissionalmente reservado quanto à natureza do telefonema.

Igualmente reservado, senão críptico, foi o Eng. Augustus Inyanga, da ZESA, com a qual temos projetos em andamento, sob supervisão do Prof. Pedro.

Entenda a senhora, por favor, que esta é uma carta minha, pessoal, sem conhecimento ou aval da empresa. Tenho mantido esta situação incômoda em absoluta reserva, pelo apreço que tenho ao Professor e pelas circunstâncias, digamos não ortodoxas, das condições de serviço de nosso amigo e colaborador.

Tomo a liberdade de pedir que me encaminhe qualquer notícia que venha a ter dele.

Ao seu dispor, atenciosamente,

Albert Staithes-Lidderdale, Esq.

Dear Sir,

It is with great apprehension that I received your note today. I'm sorry for getting so personal, but Pedro and I are very close and we've been keeping contact for the last few months. I almost took a plane today, but see no objective reason to talk to you personally, since you said he has not contacted you or your company for two months!

Do you have the number of Dr. Rahula Chantaka? It is of upmost importance that I find him, you left me sickly worried. Pedro and I were married for many years and he is very dear to me. It sounds very strange that he would be in Central America since the last few letters he sent me there were no mentions of travelling. For what I know, he was in Brazil.

Please, send me all the addresses and information you have. I will fly to Paris, Venezuela, wherever you find most suitable. And do not hesitate to write to me. Actually, send me an e-mail, I can't bear the thought of waiting for a letter, it seems such a waste:

Lucia_Sl@hotmail.com
Your sincerely,

Lucia.

TO: Lúcia
Subject: Correspondência equivocada

Prezada Senhora,

Fui encarregada por nossa empresa para dar resposta à correspondência sua endereçada ao Sr. Albert Staithes-Lidderdale. Embora sua carta nos cause estranheza, no sentido de evitar que prosperem mal-entendidos, cumpre-me informar que o Sr. Lidderdale, que efetivamente foi nosso Diretor de Planejamento Estratégico, faleceu há dois anos.

Queremos supor que a comunicação que a senhora recebeu e que gerou sua resposta é, sem dúvida, apócrifa e de péssimo gosto.

Devo acrescentar que o Prof. Pedro tem sido colaborador eventual de nossa empresa para projetos em países africanos. Ele tem, contudo, escritório próprio e independente, de modo nenhum sediado em nossas instalações.

Quanto ao médico citado em sua correspondência, é de se supor que haja alguma confusão com o nome do Dr. Raoul Chapman, de fato membro da clínica nossa conveniada.

Muito lamento não poder esclarecer mais que o exposto.

Atenciosamente,

Mildred Parsons
Departamento de Comunicação Social

TO: Mildred
Subject: RE: Correspondência equivocada

Dear Mildred,

I'm startled with what I just read. Thankfully, you wrote me an e-mail and not a letter because I was about to depart to London, but that doesn't take away my surprise and it leaves me an impression that something is utterly wrong regarding all this.

I'm sorry to pry, but for what I knew you yourself were in Brazil the other day (with a boyfriend?), but the way you mention Pedro it is as if he is a stranger to you and I know he is not. Just so you know, he saw you near his country house with a man. I mentioned to him that it was too much of a coincidence to have you in the same area just when he moved back.

I'm telling you this just to emphasize that you don't fool me, Mildred. You were in Brazil for a reason, whatever that is. And a boyfriend sounds a bit too much to believe in.

I have been exchanging letters with him for the past few months and he has mentioned you a few times (remember the hospital event?). Now you're saying that Dr. Rahula Chantaka doesn't even exist? What are you taking me for? What has happened to Pedro?

I'm a famous photographer in Brazil with various connections with journalists here. If I don't get these answers quickly, I will make such a fuss that you and your clandestine company will hear from me through the papers. I will report him missing and will have his picture published everywhere.

So, for now, cut the crap and tell me what's going on. Pedro went to Venezuela long ago and he would have never stopped writing to me with no apparent reason.

You have one day.

Lúcia

From: Mildred Parsons
To: Lúcia

Sra. Lúcia,

A senhora notará que este *e-mail* é de meu endereço particular. Faço-o em atenção à sua angústia, relevando as ameaças dirigidas à Sutter e a mim. Quero crer que a senhora o entenderá como um gesto de boa vontade e mesmo de solidariedade, e será discreta quanto ao teor. Eu mesma deletei seu recente *e-mail* dos registros da empresa.

Sim, estive no Brasil, país que já visitara em companhia de relação pessoal — um namorado —, como a senhora diz. Este fato, e ter trabalhado no atendimento de projeto a cargo do Prof. Pedro, fez com que a empresa me desse a missão (certamente desagradável) de tentar localizá-lo.

Provavelmente a senhora desconhece o total espectro de seu marido, lamento dizer. Serei direta: ele apropriou-se de valores substanciais da Sutter, uma importância que fora confiada a ele para o processamento de projeto com uma associada canadense. Este projeto, a ser desenvolvido no Brasil, tinha empecilhos de ordem burocrática e política os quais o prof. Pedro asseverou poder remover.

Em virtude dos problemas judiciais que o professor enfrentava em seu país, muito estranhou-se que ele tivesse resolvido ingressar no Brasil. Com efeito, noticiou-se sua detenção logo ao desembarque. Muito mais estranhamente, sua liberação ocorreu em seguida, sem qualquer publicidade.

Peço que entenda, sem inocência forçada, que a Sutter supõe e suspeita que o professor tenha usado a importância, ou parte dela, para "pagar um pedágio" e livrar-se dos processos. Tudo leva a crer que assim ocorreu, embora nada se possa provar formalmente.

Não preciso lhe dizer que o prof. Pedro é homem insinuante e perniciosamente sedutor. Logo que o localizei no sítio, pressionei-o quanto ao dinheiro. Disse-me ele que apenas tomara a importância como um "empréstimo de emergência", e propôs ir comigo ao Caribe e América Central para uma operação de estorno de parte da quantia através de vários "brass plate banks".

Este foi meu erro, D. Lúcia. A senhora permitirá que não dê detalhes, constrangedores a ambas, deste périplo escorregadio e sinuoso que se estendeu até Nova York, onde, novamente, sumiu o professor.

Voltei ao Brasil, ferida, ludibriada e possessa. Fui ao sítio. Para minha maior indignação, de lá fui expulsa por uma mocinha agressiva e uma gangue de jovens bizarros. Não avistei Pedro, certamente defendido por tal matilha.

A empresa, levando em conta a natureza reservada dos recursos consignados, mantém-se cautelosa e discreta quanto ao assunto. Não desistiu, contudo, de tentar recuperar o dinheiro, ao menos em parte. <u>Está disposta a algum tipo de acordo com o professor</u> (o grifo é meu).

Minha experiência pessoal (e imperdoável envolvimento) com ele mostrou-me que, por baixo do seu verniz de educação, cultura e, por que não dizer, glamour, há outra superfície habitada por uma, ou mais personalidades perigosas e cambiantes, capazes de tudo, inclusive de montar a farsa de um Mr. Lidderdale redivivo.

Por favor, cuide-se.

Atenciosamente,
Mildred.

Fim de tarde com leões

Mildred,

Estou perplexa com tudo que relatou sobre sua relação com o Pedro. Difícil é saber se tantas acusações são fruto de um coração partido — é o que me parece — ou de alguém que mereça minha atenção e apreço. Deixe-me contar um pouco de nossa história, talvez assim possa me redimir da grosseria, fruto do nervosismo em que ainda me encontro.

Pedro e eu fomos casados, tivemos um filho e fomos intensamente felizes. Sim, você está certa, ele é um homem sedutor, viril, envolvente e, por que não dizer, sabe conquistar uma mulher e mantê-la ao seu lado. Foi assim comigo desde o começo, quando me apaixonei sendo sua aluna. Ficamos quinze anos juntos numa paixão sempre conturbada, de dependência mútua e muito amor.

A separação veio com a morte, em acidente de carro, do nosso filho, Andrezinho, que tinha catorze anos. Nosso amor não resistiu e ficamos distantes até o ano passado, quando retomei o contato com ele por carta, e tem sido assim há meses, até que ele sumiu. Foi quando entrei em contato com a Sutter, mesmo sem saber que assim o fazia porque ele nunca me deu seu endereço, eu enviava os textos em envelopes pré-endereçados, tudo envolto em segredos e mistérios que muito me aborreciam, mas optei por aceitar as condições impostas pelo Pedro porque estava decidida a tê-lo de volta.

Minha vida sem ele perdeu o brilho. Tive depressão durante alguns anos e minha saúde ficou frágil, mas consegui me reerguer, até tentei outras relações, mas ele continuou vivo, com grande espaço em meu coração: como marido, pai do Andrezinho e amor de minha vida. Posso até soar melosa, "old fashion", das antigas, o que for, mas o fato é que estava disposta a ficar com ele até o fim. E, acredito em contos de fadas.

Aí veio seu e-mail, que teve em mim um efeito destrutivo e voraz. Por dias, estive na cama, triste, indignada, raivosa, com receio de sentir uma dor ainda maior do que a do recente sumiço dele. Será que estou tão errada assim? Catorze anos ao lado de uma farsa, um homem que rouba, engana, seduz por pura maldade e vira as costas para uma história como a nossa, de tanta cumplicidade?

    Ainda não sei o que pensar, e estou perdida, porque agora sinto que não tenho mais como localizá-lo. Os envelopes acabaram, resta-me apenas um e-mail que leva ao nada, melhor, a você, mais uma amante do Pedro (desculpe-me pelo uso da palavra).

    A verdade, Mildred, é que sempre desconfiei, quando casada, de suas traições. Foram tantos os sumiços sem explicações, o trabalho nunca me foi explicado em detalhes, jamais encontrei um colega dele, um amigo que fizesse qualquer referência ao presente. Os poucos que conheci eram da época da faculdade, e isso me causava estranheza, porque Pedro é tão sociável, falante, agradável, bom de farra, por que não fazia amizades?

    E o passaporte? Sempre trocava. Sei disso porque cansei de precisar do número e não batiam, cada vez que perguntava era uma numeração diferente. Às vezes, dizia que havia perdido, mas foram tantas as vezes...

    Tudo isso agora tem um sentido diferente porque suas palavras deram nova luz — ou escuridão — ao passado. Desconfio até de você, de sua existência, será que não é mais um personagem criado por ele? Como posso acreditar nas palavras de uma desconhecida que, por tudo que sei, se apaixonou pelo Pedro a ponto de viajar com ele, e só o deixou porque ele a abandonou?

    Mas estou num beco sem saída, e tudo que consigo enxergar como possível solução para esse dilema é você, meu único e último elo com ele. Talvez me reste uma última possibilidade: ir ao sítio, mas nem esse endereço eu tenho, apenas um croqui malfeito que ele me mandou um dia. Disse ser próximo a São Paulo, é isso?

    Por favor, sei que nem me conhece, tampouco tem motivos para me ajudar, mas tente ser generosa, como parece ser, e me envie o endereço do sítio para que eu viaje o mais rápido possível. Preciso tirar essa história a limpo. Já ouvi falar dessa tal trupe a que se referiu, e desconfio que a jovem, que é a líder, esteja também envolvida com o Pedro.

São tantas as dúvidas...

Ajude-me, por favor, e me perdoe pelas palavras duras.

Lúcia

From: Mildred Parsons
To: Lúcia

Cara Lúcia,

Grata pelo conforto das desculpas, tão generosas.

Saiba que muito lamento toda esta situação de desastres. Somente não me lastimo mais e, não me revolvo na minha confusão e vergonha, porque entendo seus sofrimentos como muito maiores.

Dói-me ter revelado o mundo sombrio e deletério de Pedro. Estou certa, porém, que você sofreria ainda mais danos e perdas se eu não o tivesse mostrado. Isto me consola.

Tenho o endereço do sítio. Posso passá-lo a você, mas de nada adiantará. A empresa tem informações recentes de que Pedro não está lá. Estão apenas os caseiros e estes são mudos, ignaros ou fiéis ao patrão.

Não imagino o que faz um homem mudar-se em tantos disfarces e personalidades, sobretudo quando se trata de um sujeito racional e produtivo. Espanta, mais ainda, que aja com convencimento e veracidade sobre este palco de mentiras, simulações e fábulas. Não creio que ele tire satisfação destas farsas. No curto tempo e nos momentos de ilusão em que com ele estive, passou-me a impressão de uma exasperada melancolia e, até mesmo, de depressão, que ele compensava, ou tentava afastar, com autoironia e sarcasmos.

Enfim, enfim...

Se isto puder lhe ajudar, há notícias dele passadas a mim (de um modo que quero acreditar foi fortuito e inocente), pelo engenheiro Gunnar Halvorsen, outro consultor da Sutter para projetos de energia na África.

Fim de tarde com leões

Disse-me ele ter encontrado Pedro no restaurante do Polana Hotel, em Maputo, Moçambique. Pedro estava jantando com o Dr. Inyanga e um grupo de chineses. Curiosamente, nem Pedro nem Inyanga, velho conhecido também, chamaram Dr. Gunnar para a mesa. Falaram em pé, ao lado da mesa. Pedro, à parte, o chamou para um papo e drinques para depois do jantar. A conversa deu-se em outra mesa onde já estavam duas moças brasileiras. Pedro as apresentou como "a sobrinha e uma amiga, em férias".

Pela descrição que arranquei do já desconfiado Gunnar, uma delas era seguramente a que me expulsou do sítio, no Brasil. Forcei mais algumas indagações, mas ele foi evasivo quanto ao que falaram. "Conversa social, recordações, essas coisas", ele disse.

Bom, ao menos você fica sabendo que o homem está vivo. Ou coisa parecida.

Cordialmente,

Mildred.

(Cartão-postal com o Hotel Polana, Moçambique.
No verso, em manuscrito:
Vista para a baía.
Não temas.
Tudo segue no limite do plausível.
Dê pouca atenção ao que possam estar dizendo.
Tempos bicudos, apenas.
P.)

Fim de tarde com leões

Prezada Mildred,

Minha vida se transformou em uma nuvem de dúvidas e tristeza. Quase desisti de te responder esse e-mail, tem sido difícil para mim, confiar, seja lá em quem for. Imagine minha situação: de repente, me vejo partícipe de uma farsa da qual acompanhei durante quase duas décadas. O homem com quem dividi sonhos, a maternidade, um filho, parece não ser o que sempre pensei, e está envolto em uma moldura que guarda segredos, sumiços, dúvidas, acusações de roubo e sabe-se lá mais o quê. E a única pessoa que me dá notícias dele é você, mais uma mulher enganada, mais uma amante de Pedro e uma pessoa que sequer conheço.

Agarrei-me ao pouco que sabe de seu paradeiro como tábua de salvação, os últimos resquícios da presença dele e de minha chance em revê-lo — mesmo sem saber a que isso me serviria, quem sabe apenas para dizer adeus?

Você me falou em Moçambique e, no dia seguinte, recebo das mãos do caseiro do tal sítio um cartão-postal assinado pelo Pedro. Sabe de onde? Moçambique. Deve estar surpresa com essa revelação, mais ainda pelo fato de ele ter reaparecido em minha vida. Confesso que duvidava que isso ocorresse depois de tanto tempo sem notícias.

Refleti bastante antes de tomar uma decisão sobre avisá-la ou não desse postal, mas a verdade é que não sinto que tenha outra escolha. Embora o cartão seja brevíssimo e Pedro apenas me avise sobre os riscos de eu estar sendo vítima de uma campanha de difamação a seu respeito, o fato de você já ter alertado sobre Moçambique me fez crer na sua genuína intenção em me ajudar. De qualquer forma, e até essa situação ficar mais clara para mim — agora vou até o fim —, jamais te passarei detalhes, endereços ou coisas dessa natureza. Quero apenas que saiba de duas coisas: sim, ele está vivo, e encontra-se na África.

Por favor, entenda que esse é o limite de minhas palavras, da possibilidade de revelar sobre o Pedro. Caso o encontre e conclua que você esteve certa sobre as acusações horríveis que fez sobre ele, saberá não só de seu paradeiro, mas farei questão de ajudá-la e à Sutter em rever o prejuízo que ele possa ter causado a todos. Incluindo os psicológicos. Seus.

Um abraço,

Lúcia.

Fim de tarde com leões

Pedro,

Não mereço sua desfaçatez e sumiço. Pouco importa o que estão me falando de você — e, sim, ouço versões vergonhosas de sua pessoa —, o que me interessa é saber onde está e quando nos sentaremos frente a frente para resolver essa situação de uma vez por todas. Pelo que penso conhecer de você, você sempre enfrentou as situações mais difíceis com coragem, e é isso que estranho em seu comportamento recente. Por que fugir, por que sumir? São essas as respostas que me farão crer em suas palavras e na inocência diante das acusações que lhe são atribuídas. Sempre respeitei o caráter discreto de seu trabalho: as viagens repentinas, os múltiplos passaportes, a pouca informação sobre para onde iria e para quê. "Coisas do mundo empresarial", costumava dizer, mas todos esses mistérios agora se juntam a tantos outros e levantam apenas dúvidas em meu coração. Tenho estado triste, sem rumo e sem saber o que fazer. Por isso, suplico que deixe de lado esse esconde-esconde — pelo menos de mim — e reapareça. Se não puder vir, mande o endereço, que irei encontrá-lo seja onde for. Preciso vê-lo, tirar essa dor daqui de dentro e voltar à normalidade de minha vida. Infelizmente, isso é impossível sem sua presença e boa vontade.

Melhor parar por agora, pois o Gumercindo está muito incomodado com a espera, parece que o instruiu a voltar rapidamente, mais uma de suas atitudes mal explicadas. E desisti de tirar dele qualquer informação.

Aguardo brevíssima resposta, nem que seja para eu desistir de nossa história.

Lúcia.

Lúcia,

O pintor Paul Gauguin, seduzido pela aventura oceânica ou pressionado pelas dívidas, debandou para o Tahiti. Esperava encontrar o paraíso primitivo ou um Éden gratuito. Encontrou lá a miséria, a lepra, a brutalidade colonial, a ditadura cristã e a nudez velada por "corsages" parisienses e gastas casacas de bulevar usadas por nativos descalços. Isto não o impediu de querer recuperar o exotismo perdido e o cenário que idealizara.

Há uma pintura dele que resume este estado de coisas: uma remissão metafísica e dolorosa que ele intitulou "Que somos, de onde viemos, para onde vamos?".

Tenho considerado essas perguntas (e o desencanto que elas embutem) aplicando-as sobre o que você chama "essa situação".

Constato, por exemplo, que já não sei exatamente quem sou. Isto é, sei quem sou apenas quando me dirijo a você, entendendo-me como um produto seu, uma conformidade ao seu espírito. Isto, naturalmente, diz de onde você e eu viemos, nos diz um pouco o que somos, mas não dá esperanças de saber para onde vamos.

Devo-lhe, contudo, algumas explicações, e essas explicações se resolvem não muito no que você indaga ou no que eu possa afirmar. Não poderia afirmar que meu estado de depressão, sumamente piorado, tenha me levado a desaparecer.

Além de nós, há os outros, e é neles que se concentra, apesar de nossos esforços em contrário, a capacidade para transformar nosso purgatório coloquial em um inferno de confusos teoremas gritados, de queixas, de imprecações.

Poderia lhe dizer...

Fim de tarde com leões

(Não conteste o condicional: ele é o que de mais concreto consegui.)

Poderia lhe dizer que jamais imaginei que Miss Mildred, que tirei dos porões da empresa, viesse a se transformar em personagem cinzento e ardiloso de romance policial.

Quando fui para o sítio (ou você para lá me levou, não estou certo — e esta é uma das questões que emergem do escaninho do "de onde viemos?" — enquanto eu lá estava a remexer o canteiro das nuvens, Miss Mildred galgava intrépida os degraus da firma. Chegou ao Lidderdale e tornou-se secretária de confiança. Logo seduziria o etílico cavalheiro (eu que o julgava imune à carne!) e logo, também, o levaria a ingressar nos colapsos morais da idade e nos contratempos e frustações do sexo. Lástima!

Resultou que o Conselho Diretor, pensando-o apenas intoxicado pelo álcool de cereais, afastou-o para uma clínica em Glasgow (ingleses malucos que mandam bebum tratar-se em destilarias!), daí que...

Miss Mildred, o carnal anjo enigmático, assumiu funções e usurpou, além do limite do "stand by", o expediente do velho. Imiscuiu-se em coisas confidenciais da empresa, fraudou documentos e correspondências e até — você não deveria se espantar — chegou ao âmago de operações que a empresa me delegara em confiança.

Bom. Adianto-me. Ela já foi demitida após o regresso cambaleante de Lidderdale. O estrago, porém, foi grande, disse-me Gunnar. Ele também me falou que havia sido assaltado por ela, em busca de meu paradeiro, até o limite do incômodo.

Bom e cândido Gunnar! Da missa, ele não sabia um quinto... Não sabia, por exemplo (nem você, mesmo arguta, saberia), que o anjo "exterminador" me havia perseguido de São Paulo a Nova York, tentando arrancar-me, via chantagem, um pedaço do dinheiro que a empresa me confiara. Ela andava com um sujeito — o mesmo que a acompanhava quando rondou o sítio —, um tipo grandão e acanalhado, talvez o namorado brasileiro, mas, certamente, um cão de guarda malhado ou moldado com esteroides. Este ficava à margem, espreitando.

Despistei-os e escapei, marcando um encontro e fazendo-os ir para o Kennedy enquanto eu ia para La Guardia, para Saint Louis, Miami, de volta ao sítio. Logo bateram por lá e foram expulsos por Giovanna e pela oportuna aparição de uma foice na mão de Gumercindo.

Ao menos, meu amor, se não sei quem sou (sei o que você sabe que não sou), penso saber onde estou ou onde me situam... quero dizer, sei a situação (o local), embora esta não seja a "situação" que você anseia resolver.

Há a China... (estamos falando de lugares — ela é o antípoda universal)... Inyanga, eu e Gunnar montamos uma empresa de consultoria em Moçambique para atender os chinas nos negócios que o Willow vem desenhando. Os chineses cobriram meu débito com a Sutter, numa espécie de adiantamento. E, seguimos cativos, embora não cativados, este dilema tão impropriamente africano.

Giovanna e a amiga vieram a ter comigo. Uma queria conhecer "a cor local" da África. Não abandona a ideia de uma peça baseada nas cartas. Deixo ir, à deriva. A outra arranjou-se com um yuppie lusitano numa balada, e partiu com ele para o Timor e adjacências. Encontrarão a alma penada de Gauguin por aquelas bandas, mas darão pouca ou nenhuma atenção ao desespero ou às perguntas filosóficas dele.

Você lembra que um dia eu disse que sua falta me despedaçava? Lembra, talvez, da sua resposta, de uma polidez e fuga tão distantes do amor? *"Não se sinta despedaçado, isto me faria mal."*

Não desista de nossa história. É o que nós temos e o que pode reunir minhas partes, depois de tudo.

Escreva para o endereço no envelope, se houver mudança, eu aviso.

Beijo, Pedro.

Pedro,

Felizmente, Paul Gauguin restringiu-se à pintura. O título do quadro é raso, praticamente a primeira frase da introdução de qualquer livro para iniciantes em filosofia. De resto, pouco me importa, diante de nossa situação, o que ele disse sobre seu paraíso imaginário perdido. Atenho-me à realidade de hoje, essa, sim, digna de nossa atenção.

Dizer que sua identidade está restrita às minhas conformidades soa desalentador e traça uma visão limitada não só de você, mas do que significa para mim e do que vivemos juntos. Suas palavras me deixaram preocupada. Raras foram as vezes que te vi para baixo, ao contrário, sempre fui eu quem precisou de seu ombro, por isso, faz-se ainda mais urgente nosso encontro. É bom saber (veja a mudança de tom) que minha ausência ainda tem efeito em você. Engraçado que agora me faz bem — e como — saber que está despedaçado. É um sopro, um alento em quem já o julgava longe do alcance.

Entendo que esteja tentando resolver questões práticas de trabalho, a propósito, você se referiu a uma dívida que foi coberta pelos chineses. Que dívida?

E a Giovanna? A presença dela ao seu lado retira qualquer justificativa razoável de sua parte em se negar a me enviar o endereço na África. Se ela, que nada é, está com você, então o que me impediria de ir? Por favor, explique a situação a essa moça, de que estou a caminho e que precisa de privacidade. Em outras palavras, livre-se dela. As reconstruções de sonhos requerem tempo e espaço a dois.

Usarei um envelope cheio de mistérios pela última vez. Chega desse roteiro policial de quinta. Aguardo seu último contato, aquele em que me enviará o endereço para que possamos nos encontrar o quanto antes.

Um beijo,

Lúcia.

Fim de tarde com leões

Prezada Mildred,

Ainda sem notícias do Pedro? Eu também, mas nutro esperanças de que em pouco tempo essa situação nebulosa esteja resolvida. Enquanto isso, queria te fazer algumas perguntas sobre o Lidderdale. Esse foi o ponto que mais me chocou em suas revelações, porque Pedro falava muito nele, como poderia estar morto? Você o conheceu pessoalmente?

Desculpe-me pela intrusão, mas estou muito atordoada com tudo isso. Será que nós não poderíamos nos encontrar? Pegaria o primeiro voo para a Inglaterra, com prazer. Por favor, avalie essa possibilidade, preciso me segurar ao que acho ser o último ponto de contato que tenho com Pedro, preciso ver o ambiente no qual ele circulou nesses últimos meses, talvez me ajude a entender o que aconteceu.

Um abraço, aguardo sua resposta.

Lúcia.

Lúcia,

Faz um ano começamos estas cartas. O aniversário exigiria uma canção romântica, algo na voz de Tonny Bennet ecoando num bar deserto, em technicolor gasto. Tal seria um plano de fundo bom para "happy end".

Não sei como você imagina (esse "happy end"), mas sei que o bar aqui do hotel é sempre agitado de gente e música techno. Estranho som e burburinho enclausurados por vidros grossos, parecidos a escotilhas, que apenas deixam ver um pedaço barrento da baía e uma nesga do Índico.

Tenho relido o que dissemos e depreendo de tudo que a sua convicção para um reencontro é mais sólida que a vida que me foi atribuída. Tal é a vantagem da essência feminina, concentrada e veraz.

Neste momento, ando triste, mas não improdutivo. Os chineses têm me passado uma noção de tempo mais alongado (mas não me poupo de considerar isto também um pouco de marketing da parte deles). Sim, pagaram o que eu devia à Sutter. A melhor explicação que teria para a dívida seria considerar o dinheiro envolvido como um empréstimo de emergência. Sei que você considerará supérfluos os detalhes. Tudo já foi ajustado.

Assim... para que não me considere mais fugidio que minha construção...

Você quer vir? Sabe ao certo que esta não é uma viagem de balão na Capadócia, pois?

Venha.

Fim de tarde com leões

A figura de Giovanna vai dissipar-se à sua chegada. Além do mais, ela foi à França, onde estão alguns da trupe, num festival.

Procure-me no Hotel Polana: Avenida Julius Nyerere, 380, Maputo, Moçambique.

Pedro

Paula Fontenelle e P. W. Guzman

Prezada Mildred,

Desculpe-me pelo apelo urgente em seu e-mail, mas não consigo pensar em outra pessoa que possa me ajudar nesse momento. Estou em situação desesperadora, permita-me explicar.

Antes de tudo, preciso confessar algo que, por pura precaução, escondi algo importante de você no último e-mail.

Logo depois de nosso contato recebi uma carta do Pedro dizendo que estava em Moçambique, e me enchendo de esperanças sobre nosso futuro juntos. Antes disso, contou-me coisas horríveis ao seu respeito: que haveria seduzido Lidderdale levando-o a ser internado em uma clínica para alcoólatras. E que fora você quem o "seguiu" até Nova York após investigar a fundo as operações com as quais Pedro estaria envolvido.

Contou-me que teria feito até chantagem por dinheiro (talvez a quantia que você disse que ele teria roubado?). Você e um homem que a acompanhava. Enfim, esforçou-se em sujar sua imagem comigo, talvez saiba que estamos em contato, não sei.

Mas nada disso importa agora, até porque eu não acreditei nas palavras dele, só que tinha que tirar essa podridão a limpo, entende? Respondi a carta pedindo que me enviasse seu endereço imediatamente, caso contrário as cartas terminariam ali. Assim o fez e foi nesse momento que entrei nessa situação difícil em que me encontro e para a qual peço sua ajuda.

O endereço que me foi enviado era do Hotel Polana, em Maputo, há uma semana. Conseguir o visto foi razoavelmente rápido, então não pensei duas vezes e comprei o primeiro voo para lá, cheia de ansiedade e, no fundo, esperanças de encontrar na África o homem que deixei anos atrás. Foi o início do pesadelo que ainda não terminou.

Para não correr riscos, peguei um táxi oficial no próprio aeroporto e fui direto para o hotel. Tinha pouca bagagem, apenas uma mala de mão porque no fundo não tinha planos de ficar por muito tempo. Minha ideia era encontrar o Pedro e tirá-lo de lá. Mas nada disso aconteceu. Logo em frente ao Polana, fui assaltada. Não como ocorre no Brasil, normalmente à mão armada. Dois rapazes se jogaram contra mim, levaram apenas a bolsa, pois a malinha era de roda e ficou difícil tirar de minha mão.

Entrei em pânico, não por dinheiro ou algo parecido, mas pelo passaporte. A reação que tive foi cair no choro, e foi assim que entrei no lobby do hotel, desolada, mas tentando me tranquilizar, afinal, Pedro resolveria tudo.

Foi quando o mundo desabou. Ele não estava lá, aliás, me informaram na recepção que, pelo menos nos últimos seis meses, não havia registro de qualquer hóspede com esse nome. Imagine meu estado! Desabei numa crise de choro compulsivo sem qualquer noção de como poderia sair dali ou voltar para o Brasil.

Odiei o hotel de cara, parece um hospital psiquiátrico daqueles horríveis que vemos em filmes de horror, com centenas de quartos. Fui tomada por uma crise de pânico, algo que senti após a morte de Andrezinho por muito tempo, e só passou depois de me submeter a um longo tratamento.

Foi preciso chamar paramédicos para me ajudarem a recobrar a "normalidade". Felizmente, não havia a barreira da língua, senão não sei o que teria acontecido comigo.

Mas eles foram bastante generosos. O gerente disponibilizou um quarto para mim sem cobrar nada por isso. É um quarto meio sujo porque o hotel está passando por uma reforma, mas não tenho do que reclamar.

Mostrei fotos do Pedro, mas de nada adiantou, ninguém jamais o viu por aqui. Começo a pensar que nunca existiu, pelo menos não o homem que conheci e com quem dividi minha vida e a de um filho durante anos.

Estou em Moçambique há dois dias e preciso ir embora, mas não sei como. Procurei a Embaixada, que fica perto daqui, mas a burocracia é grande, foi quando pensei em você e na Sut ter. Como têm negócios pela África, talvez conheça alguém que possa agilizar

247

minha volta ao Brasil. Estou desesperada, sem documentos ou cartões de crédito, e não sei até quando me manterão aqui.

As vezes penso que estou tendo um pesadelo. As pessoas me assustam, tenho tido lapsos de memória, estou atordoada. A noção de tempo se foi, parece que estou nesse hotel-hospital há anos. Acho estranho os funcionários se vestirem todos de branco...

Ajude-me, por favor. O telefone do hotel é (+258) 21241700 ou 2124800. Todos me conhecem, não se preocupe. É só pedir para falar com a brasileira Lúcia que eles me chamam. Não saio do lobby por nada. Tenho muito medo.

Lúcia.

Fim de tarde com leões

Querida Marcela,

Desculpe-me pelo sumiço, você não merecia, mas tive poucas opções depois do que passei nos últimos meses. Sequer tenho coragem de te contar tudo, apenas escrevo para tranquilizá-la e para dizer que sinto muitas saudades suas.

Restaram-me poucas lembranças boas do Brasil. Com todas as mortes dos últimos anos, meus laços de amor desfeitos foram me afastando do país, e a sua imagem ficou associada a dores e culpa, reação típica de quem ainda não sabe como se recompor dos traumas provocados por tantas perdas.

Estou viajando há seis meses sem paradeiro certo, decido o próximo destino ao léu e não tenho ideia de quando ou se um dia voltarei, por isso resolvi te escrever para que o pouco que me resta de afeto não seja destruído por falta de atenção minha. Você foi sempre muito leal comigo, uma amiga que me amparou em dias pesados e com tanta coragem!

A experiência de nômade tem sido rica e tem me ajudado imensamente a buscar algumas respostas, verdadeira terapia cultural. Vivo modestamente alugando quartos, como agora no Nepal, país limpo nos sentimentos. Aqui conheci um povo meigo, sorridente e cheio de prazer pela vida, bom lugar para o momento que vivo.

No Nepal encontrei a espiritualidade, e não estou falando de religião. Falo de valores, da generosidade de pessoas que não pensam antes de te oferecer carinho com palavras (que pouco entendo) e olhares.

Acho que carrego tristeza no corpo, algo que eles leem rapidamente, sem subterfúgios. E se aproximam, tocam uns nos outros como nós, brasileiros, e se cumprimentam dizendo "namastê" com as mãos unidas apontando para cima e leve declinar da cabeça.

Sei que é quase clichê vir para esse lado do mundo em busca de paz, mas não há como negar: o olhar para a vida é diferente, o ritmo do dia a dia, as prioridades, os costumes, a forma como lidam com a morte. Eis algo que tenho que aprender com eles.

    Outro dia, comprei um colar que os nepaleses usam nas pessoas que estão prestes a morrer. A peça tem dezenas de deuses esculpidos em metal e pedras, e é delicadamente colocada no pescoço do doente para que essas divindades o levem, purificando sua alma. Bonita filosofia, não?

    E é nesse tipo de experiência que me seguro até que esteja fortalecida para decidir o rumo de minha vida. Mas não se preocupe, estou bem, tranquila dentro do possível, em paz. Trouxe comigo uma foto sua, da Silvinha e da Magda. Aliás, por favor, ligue para elas e diga que em algum momento escreverei, penso sempre nas duas e torço para que a tão sonhada carreira as deixe felizes. Preste atenção à Silvia, ela é mais frágil.

    Infelizmente você não tem como me contatar, hoje mesmo saio da casa onde me hospedei por trinta dias para visitar outras cidades mais próximas do Himalaia. Meu e-mail está desativado, recebi algumas mensagens desagradáveis daquele pessoal de Londres e resolvi "fechar a bodega" por agora. Mas manterei contato, fique certa. Você está comigo, sempre.

Fim de tarde com leões

Dona Lúcia,

Há tempos, Pedro se foi.
Digo-lhe isto sem perguntar se o viu, se está com ele, se dele tem notícias. Tenho apenas esta certeza — a de que ele se foi —, o que não causa uma dor exata, é mais um estado difuso que não se atenua com o tempo, mas que sei não ser de direito: jamais considerei ser possível ter ou reter Pedro.
Tampouco sei com precisão o que signifiquei para ele. Considero, às vezes, que fui um acaso, uma coisa ou evento fortuito a que ele aderiu, pela própria natureza acidental. Pedro apreciava construções acidentais, facilitava-as a seu modo, chegava, até, a as manipular. Era, também, vitimado por elas, enredava-se mal no jogo de situações. Era impressionante ver como podia ser racional e eficiente nas coisas práticas — inclusive no trabalho — e como era perigosamente fabulador.
Com o tempo, entendi que isso era uma resposta que ele dava ao fato de ser desconfiado com a vida, cético do que ela lhe tinha dado... e tanto tirado. Talvez gostasse de cobrar um pedágio da vida.
Senti-o deprimido nos últimos tempos. Ou mais que deprimido. Perdia a energia e seu raciocínio — sempre tão nítido —, suas falas coloridas perdiam o foco, desbotavam e se desarticulavam. Uma frase caía no silêncio, de repente, como se algo a tivesse decepado. Quando a fala voltava, vinha de outro mundo, de outra cadeia de ideias — lógicas, sim — mas estranhas à situação ou à conversa.
Outro homem, nesse quadro, passaria por doido, mas, em Pedro, esperava-se esta tonalidade de devaneio, estas elipses, curvas e atalhos surpreendentes que eram seu prodígio — aparatos do professor charmoso que foi.
Cada uma de nós, a seu tempo, chegou nova e tarde à vida dele. Quero dizer... eu nem cheguei à vida dele, fui

apenas tocada por ela... e você, que nela esteve, ali viveu sempre em perda.

Essa perda, que você se pôs a resgatar em cartas e oferecimentos de reencontros e reinícios, essa perda vivia no coração de Pedro, residia lá com todo amargor. Talvez, de outra forma, sempre lá esteve, independentemente de você, da morte do filho, das perseguições e dos inimigos. Pedro se sentia condenado. Vivia sob a condenação de um destino traçado e irremediável. Você, eu, a vida inteligente dele, a competência da razão e a sensibilidade algo cínica dele parecem ter sido diversões que ele fez para evitar o traçado do destino, um carma. Em vão.

Chegamos novas, eu disse. Para você, foi pior. Você partilhou um pedaço deste destino, impotente para alterá-lo e, sem querer, até, contribuindo para o definir. E, além disso, para sua infelicidade, vocês se amaram (sim, ele amou você com a mesma intensidade com a qual se mortificava de lhe ter desviado da vida que teria sem ele).

Quanto a mim...

É possível que ele não quisesse ver você reeditada em mim. Ou, talvez, vencido, já não tivesse ânimo para contrapor-me ao destino... não sei. Não sei exatamente o que fui, apenas conjeturo e, digo sinceramente: não quero ser cativa dessa dúvida.

Ele deu-me dinheiro para que fosse a Paris. Reagi ao exagero da quantia. Ele insistiu: "Você vai precisar".

Pôs num papel a data, a hora, o local em que nos encontraríamos.

Fui ao bistrô — o mesmo descrito em uma das cartas.

Pedro não apareceu. O dono do bistrô entregou-me um envelope pardo, grande. Nenhuma carta, recado, bilhete. Havia cópia das cartas de vocês, até o ponto em que eu me "dissipo".

E um *post-it* na primeira página, com seu endereço.

Isto foi há quase seis meses. Fiquei na França por um tempo. Rodei a Europa, conheci alguém em Roma, estamos juntos. Nenhuma notícia de Pedro.

O envelope com as cartas pareceu-me uma despedida, um legado e uma licença para usá-las no que havia proposto: uma peça.

Pedro não me encorajou a escrevê-la, mas nunca se opôs a que me animasse com o projeto.

Não sei se um dia será encenada. Dificilmente, pois só faria sentido a quem tivesse lido as cartas. De certo modo, porém, ela nos aproxima... você, Pedro, eu... num segredo partilhado. Teria sido esta a intenção de Pedro, creio, ao deixar-me seu endereço.

Aí vai a peça... ou algo semelhante.

Peço que seja tolerante com o "teatro de garagem". É coisa juvenil, você dirá. Mas... ambas chegamos jovens ao que foi Pedro.

Giovanna.

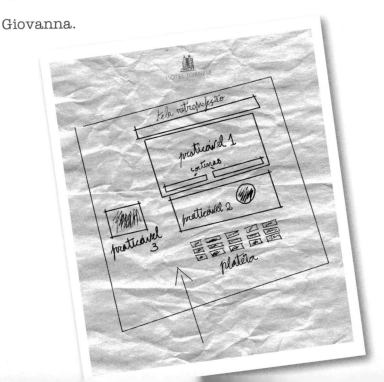

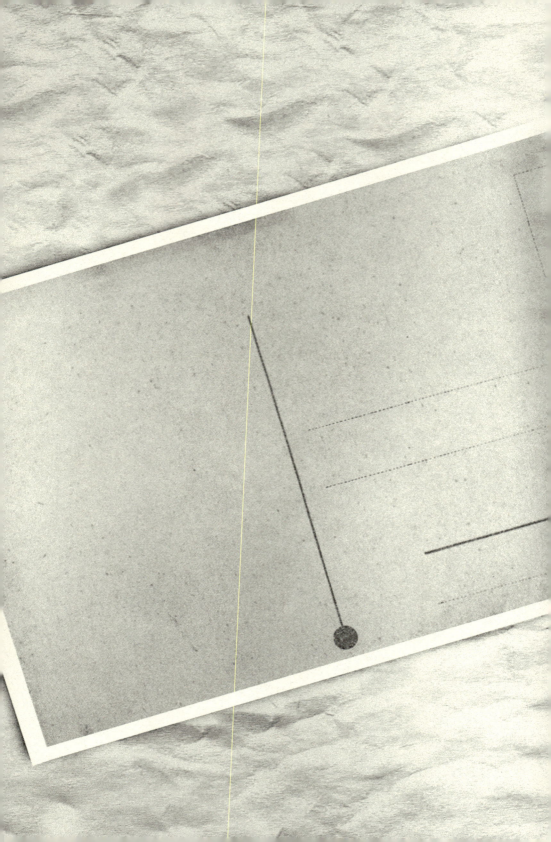

FIM DE TARDE COM LEÕES

ATO ÚNICO EM CENAS SIMULTÂNEAS

Cenário: Réplica do galpão do sítio de Pedro. Do fundo para a frente: Tela para retroprojeção; Praticável alto, servido por rampa ou escadinha (1) com grande leito e aparelhos hospitalares; Cortina de abertura vertical; Praticável baixo, sem degraus (2) com mesinha de bar, cadeiras; Praticável (3) pequeno, à esquerda do praticável 2.

Plateia composta de cadeiras heterogêneas, em tamanho e estilo, para atores e público.

PERSONAE
Pedro, Lúcia, McFarley, Presidente, Willow, Inyanga (menino e velho), Nadiedja, Mildred. Giovanna, C.A.P., Andrezinho, dois militares, dois seguranças, dois chineses, enfermeira, duas negrinhas, dois capangas.

Iluminação: refletores e *spots* com *dimmers*.
Som: para acompanhamento da retroprojeção.

Inicia a luz plena, sem *spots*. Enquanto entram e procuram assento, atores e público, McFarley, vestido numa mistura de jogral e mestre de cerimônias, sobe no praticável 3.

Luz geral, atenuada, *spot* praticável 3.

McFarley: — Senhoras e senhores...
(mudando a entonação)

— Respeitável público...
(pausa)
— Minhas senhoras, meus senhores...
(dois seguranças negros vão ao praticável e de lá retiram McFarley pelos cotovelos, levando-o para fora de cena)

Luz para o Praticável 1. Cortina abre.
O Presidente moribundo jaz no leito. Na tela, imagens de aldeia africana em *still*. Som de percussão e vocal étnicos.

Presidente: — Aonde foram todos?

(cessa a percussão — vocal em crescente)

Presidente: — Aonde foram todos? (geme) Aonde foram todos, com os diabos!

(vocal cessa)

Voz, de fora: — Todos aqui, presidente.
Presidente: — Willow? Aonde foi Willow?

[entram Willow, menino tribal travestido em velho (Inyanga), enfermeira.]

Willow: — Aqui, senhor. Acabo de chegar de N'Ganga e Mokehe. Tudo quieto agora. Querem saber do senhor.
(acerca-se do leito):
— Augustus está comigo.

Presidente: — Onde estou, Willow? Isto é o palácio?
Willow: — Receio que não, senhor. É um local temporário.
Presidente: — Mas onde, Willow? Por que temporário?
Willow: — Bem...

Presidente: — Não confio em você, Willow. Jamais confiei. Você tem mais da vaca holandesa beata que de Augustus. (pausa, gemido) Ôgui, você veio?
Willow: — Está aqui, Presidente.
Presidente: Onde, onde? ... De que lado?

Ôgui (Inyanga), em sua forma infantil, aproxima-se, toca a mão do Presidente.

Ôgui: — Aqui, Grande Pai. Trouxe sumo da erva Lokelê para passar em seus olhos. Logo vão limpar.
Presidente: — Ahh... não creio, Ôgui. Fecho os olhos e enxergo. Quando abro é tudo noite. Sinto o cheiro dos leões, mas não os vejo. Onde está Nadiedja?
Willow: — Foi buscar despachos urgentes. É preciso que assine.

(Ôgui sobe no leito e começa a aplicar o remédio.)

Presidente
(afastando as mãos de Ôgui): — Não quero assinar nada. Por que agora? Sinto-me fraco. (Ôgui volta à tarefa)

Presidente: — Quero juntar forças para ir à varanda e falar com o povo.
Willow: — Há tempo para isso. Descanse esta noite.
Ôgui: — Fique de olhos fechados, paizinho. A erva...
Presidente: — É estranho, Ôgui. Vejo você quando era menino.
Ôgui: — É a febre, meu pai. O sumo vai ajudar nisso também.
Presidente: — Será, Ôgui? Parece tão nítido... e... tem a chuva. Está chovendo?
Ôgui: — Não.
Presidente: — Ouço barulho na palha. Não lembro que o palácio tivesse um teto de palha, Ôgui. Aqui é o palácio, Ôgui, Willow?
Ôgui: — É como se fosse. Só que é menor.

Presidente: — Mas, tem uma varanda? O povo deve me ouvir.
Willow: — Depois, Presidente. Podemos fazer uma gravação...
Presidente: — Não quero gravar, Willow. Eu não confio em você, Willow. Quero falar da varanda. Anuncie.

(tenta levantar-se, Ôgui o retém, a mão em seu peito)

Ôgui: — Ainda não, Grande Pai. É preciso que durma para a erva fazer efeito.

Presidente:
(desiste de levantar-se): — (gemido) Chove tanto e é noite, mas o rio está seco. A poeira corre nele. Como pode ser assim, Ôgui?

(Entram dois militares graduados e conversam à parte com Willow. Saem, os três.
Praticável 1 escurece.)

(*Spot* no praticável 3. Dois chineses em roupas ocidentais encontram-se com Willow. Os militares ficam no rés da cena.)

Chinês 1 — Temos pouco tempo.
Willow — Curioso que me diga isso. Pensei que tempo não fosse problema para vocês.
Chinês 2 (rindo) — Nesse caso, sim.
Willow (brusco) — Ele vai assinar.
Chinês 1 — E se não?
Willow — Não há esta hipótese.

(Desce Willow. *Spot off. Spot* na mesinha do praticável 2.)

(McFarley vestido de garçom às antigas entra com balde, taças, garrafa de vinho. Arruma a mesa.)

McFarley (solene, no proscênio) — Hoje é o inverno de nossa desesperança...

Fim de tarde com leões

(Os dois seguranças levantam-se e ameaçam ir até McFarley. Este sai de cena, rápido, em passos bailarinos. *Spot off*)

(Praticável 1. Cortina semiaberta. Luz atenuada. Uma enfermeira aplica injeção no Presidente. Projeção de cenas de aldeia na tela de fundo.)

Spot na mesinha — Praticável 2. Entram Pedro e Lúcia. Sentam-se.

Lúcia — Já estivemos aqui?
Pedro — Uma, duas vezes.
Lúcia — Antes ou depois?
Pedro — Antes... depois.
(Pausa. Lúcia ausculta o ambiente.)

Lúcia — Isto fica perto de um zoológico?
Pedro — Não sei.
Lúcia — Ouço leões rugindo... longe.
Pedro — Longe, espero. Você sabia que James Joyce foi enterrado próximo a um zoo?
Lúcia — Você contou isso numa aula.
Pedro — Nora, a mulher dele, comentava: "Coitado do Jimmy... ele morria de medo de leões..."
Lúcia — Foi, você contou.

(Pausa. Pedro procura alguém ou algo.)

Pedro — Tenho a impressão de ter esgotado meu repertório...
Lúcia — Não se subestime. É bom ouvir novamente.
Pedro — Gratíssimo. Você ainda é uma aluna linda e paciente.
   Acha que alguém vem servir?

(Entra McFarley)

McFarley — Boa tarde... ou boa noite?
   (afasta-se)

Bom... ambas!
Meu nome é Mercúrio e sou seu garçom. Posso servir o vinho? É uma cortesia.
(Pedro examina o vinho, girando o rótulo para Lúcia. Esta assente que sim.)

Pedro — Para a madame, apenas. Traga-me uísque, copo curto, pouco gelo.
McFarley — Alguma marca, senhor?
Pedro — Scotch. O que você julgar melhor.
McFarley — Certo, senhor. Sirvo o vinho logo?
Pedro — Busque o uísque antes. Vamos fazer um brinde aos leões.
McFarley — Aos leões, senhor?
Lúcia — Não ouve os leões? São de um circo, de um zoo?
McFarley — Não, senhora. Graças a Deus, não. Morro de pavor desses bichos. E de outros também. Cobras... tigres... tarântulas...
Pedro — Vá, meu jovem.

McFarley
(com reverência desajeitada) — Certo, senhores.

Pedro — Também não ouço leões, mas brindarei a eles.
Lúcia — Nada mais a brindar?

Pedro
(provocativo, irônico) — Ah, bom... Deixe-me ver. Ahn... Ah, hoje é o aniversário da morte do alemão.

Lúcia — Qual alemão?

Pedro — Bolo amarelo. Aquele da sementeira, do jardim... como seja.
Lúcia — Amarelo?
Pedro — O homem do Yellow Cake.
Lúcia
(tentando alinhar a memória) — Ah! Este?
Pedro — Pois é. Vi quando o mataram.
Lúcia
(incomodada) — Você nunca me disse.

Fim de tarde com leões

Pedro — Bom, foi. Eu vi.
Lúcia — Assim, sem menos?
Pedro — E sem mais.
Lúcia — Por que o mataram?
Pedro — Ah, minha querida. Não se pergunta "por que" a isso. Pergunta-se "para quem" o mataram.
Lúcia — Você sabe?
Pedro — O que você acha?
Lúcia — Que você sabe.
Pedro — Só sei que sabem que eu sei.
Lúcia — Sabem ou pensam que sabem?
Pedro — Para eles não faria diferença.
Lúcia — Bom, se é assim...
Pedro — É mais ou menos isso, mas já não vem ao caso. Uma parte dos envolvidos já se foi também.
Lúcia — Você contou a alguém?
Pedro — Meu bem, não. Ter visto foi um problema, mas deu-me várias garantias... inclusive a de não ir junto com o alemão. Imagens são uma coisa, palavras são o demo. "No princípio era o Verbo" indica uma criação demoníaca, uma proclamação impiedosa, à revelia.

Lúcia — Por isso, o silêncio? Não teve medo ou covardia?
Pedro — Falei que o verbo era maligno. Nada contra escrever. A escrita é uma defesa laical nesta batalha óbvia entre o bem e o mal.
Lúcia — E daí?
Pedro — Sempre tive tudo escrito e oculto, com indicações para divulgar em caso de... de... bem, você sabe.
Lúcia — Falado, escrito... Não é a mesma coisa?
Pedro — Esqueceu as aulas, pintinha? Ou faltou a essa, assistindo a algum filme proibido?

(Chega McFarley com o serviço para o uísque. Serve. Abre o vinho. Apresenta uma prova a Pedro. Este toca a borda da taça e manda servir. Sai McFarley, um tanto amuado.)

Pedro — Brindamos aos leões?
Lúcia — Só eu escuto os leões e só você viu o alemão morrer. Podemos brindar a algo comum a nós dois?
Pedro — Temos feito isso o tempo todo, mas concordo. Escolha você.
Lúcia — Ao resto dos nossos dias. Felizes.
Pedro
(contrariado) — Brindo a eles, mas devo bater meu copo com menos força que você o seu. Você tem mais crédito em dias.

Lúcia — Vou fingir que não ouvi isso. O rugido dos leões deve ter aumentado.

(Ficam em cena e bebem. *Spot off*, na mesinha.)
(Abre-se a cortina do praticável I. Som: rugido de leões. Enfermeira ajeita travesseiro do Presidente. Entram Willow, Nadiedja, Inyanga em sua idade normal.)

Presidente
(à enfermeira) — De onde você é, menina?
Enfermeira — Sou de Gombala, Senhor Presidente.
Presidente — Gombala no rio Nobôlo?
Enfermeira — Sim, Presidente.
Presidente — Muitos morreram lá.
Enfermeira — Sim, Grande Pai. Minha família...

(Willow acerca-se e afasta a enfermeira.)

Presidente — Quem está aí?
Willow — Eu, Presidente. William. E Augustus e Nadiedja.
Presidente — Você parece não ter pés, Willow. Paira como um abutre. Abutre esquisito de olhos brancos. Que quer?
Willow — Chegaram papéis de máxima urgência. É preciso que os assine.
Presidente — Willow, Willow... Sua mão cansou de assinar? Aleijou na ambição?
Inyanga — Isto não pode ser delegado, Senhor.

Fim de tarde com leões

Presidente
(pausa) — Entendo. É meu testamento, Ôgui? É por isso que você toma a voz de Willow?
Inyanga — Todos lhe amamos, Senhor.
Presidente — Ôgui, tenho a sensação de que este amor fui eu que decretei. Não me parece uma oferta, um presente. Há uma guia, um papel para lavrar a taxação?
Inyanga — O Pai sabe que é genuíno. É um amor contido em sua força. Nós o aceitamos com gratidão.
Presidente — Ôgui, que extraordinário!... Os tempos de Europa lhe ensinaram tão belos ornamentos. E as palavras. E esta esgrima de côrte, Ôgui.
(Willow, impaciente, joga os papéis sobre a cama.)

Presidente — Há uma cobra deslizando sobre os lençóis, Ôgui? Foi isso que senti?
Inyanga — Não, Senhor. Não há cobra alguma. Peço-lhe que assine os papéis.
Presidente — Peça-me melhor, Ôgui. Sei que você pode fazer melhor.

(Inyanga inclina-se sobre o Presidente e sussurra demoradamente em seu ouvido.)

Presidente — O mar, Ôgui? O mar de fora, Ôgui?
(tenta erguer o tronco)
Ajude-me, Ôgui. Ponha minha mão sobre o papel. Guie meus dedos e esta tinta de sangue e luto sobre a ruína das letras.

Inyanga — Não tema, Grande Pai. Então estaremos ainda mais fortes. O povo estará conosco.
Presidente — O povo. Quando o verei, Ôgui?

(O Presidente assina os papéis com ajuda de Inyanga. Willow os recolhe.)

Inyanga — Logo o povo o verá, Senhor.

Presidente
(recai sobre os travesseiros): Diga-me, Ôgui: Você ouve os leões de nossa infância?

Inyanga
(em tom baixo) – Sempre os ouço, Mug. Sempre os ouço.

(Sai Willow. Inyanga fica ao lado do leito. Luz em *fade-out*. Na tela, paisagens edênicas da África.)

(*Spot* no praticável 3. Sobre ele está C.A.P., em espera. Chegam dois sujeitos, um bem vestido, outro à marginal. Sobem.)

C.A.P. – Demoraram, hein?
Sujeito 1 – A chuva. Estava chovendo à beça.
C.A.P. – Aqui não estava, cara. E vocês estão secos, qual é?
Os dois sujeitos riem.
C.A.P. – Tudo bem. Não tenho tempo para isso.
Sujeito 1 – Mande as ordens, Dr. Carlos.
C.A.P. – O homem está no Rio. Voltou para a vadia dele e andam por aí, numa boa.
Sujeito 1 – Então, melhorou!
C.A.P. – Pois é. Tem que ser um negócio cirúrgico. Rápido e certinho, sem escândalo.
Sujeito 1 – Vai ser assim mesmo.
C.A.P. – Eles estão no Glória. Fiquem na cola deles.
Sujeito 1 – A encomenda é dupla?
C.A.P. – Até pode ser, mas o importante é o cara, entenderam?
Sujeito 1 – Certinho. Pode deixar.
C.A.P. – Outra coisa: eu quero ver.
Sujeito 1 – Não confia, Doutor?
C.A.P. – Não se trata disso. É um gosto meu, cara.
Sujeito 1 – É mais arriscado.
C.A.P. – Se for bem-feito, não. Bata um fio para mim no começo do processo. Vou estar por perto.

Sujeito 1 – O senhor é quem manda.
C.A.P. – É isso aí.

(*Spot-off.* Luz no praticável 2. Entra Giovanna — em roupa casual, tabuleta com *clips* da encenação à mão. Espera Mildred subir no praticável. Ficam ao fundo *Spot-on* na mesinha onde continuam Pedro e Lúcia.)

Giovanna – É a segunda vez que você força entrada. Não estou certa de que se encaixe em nenhum papel.
Ali estão eles.
Mildred
(acercando-se um pouco da mesinha e voltando) – Sim, são eles.

Giovanna – Nenhuma surpresa?
Mildred – Bom, ela não se parece comigo. Nem um pouco.
Giovanna – Sequer os cabelos?
Mildred – Não.
Giovanna – Imagine que estivessem molhados.
Mildred – Em todo caso, os meus seriam mais claros.
Giovanna
(anota) – É possível. Mas, minha cara, cabelos se pintam.
Mildred – Os meus sempre foram naturais.
Giovanna – Ok. Você conheceu as outras mulheres dele?
Mildred – Como assim?
Giovanna – As mulheres, esposas...
Mildred – Ah, não.
Giovanna
(leva Mildred ao proscênio,
aponta a plateia) – Mesmo assim, vê alguém ali que se pareça ao seu tipo?

Mildred – Talvez duas ou três. É difícil saber. Talvez nenhuma. São todas iguais e diferentes ao mesmo tempo.
Giovanna
(anota) – Poderia ser mais clara?

Mildred — Não vim aqui para isso.
Giovanna — E veio para quê?
Mildred — Vim para ser vista.
Giovanna — Você sabe que isso não mudaria nada.
Mildred — O que lhe dá o direito de pensar assim? Porque tem os papéis, porque faz anotações?
Giovanna — Isso lhe incomoda?
Mildred — Não sei se você tem esse direito.
Giovanna — Pedro me autorizou, se quer saber.
Mildred — Duvido muito. Se não há mais nada, quero ir.
Giovanna
(riscando, raivosa, os papéis) — Nem deveria ter vindo. A insistência foi sua.

(Sai Giovanna. Sai Mildred, passando perto da mesinha, olhando o casal, sem ser percebida.)

(**Spot-on**, somente na mesinha)

Lúcia — Está cansado?
Pedro — Devo dizer a verdade?
Lúcia — Tente.
Pedro — Não muito. Jamais imaginei que estaria assim... vamos dizer... aposentado.
Lúcia — Você não está.
Pedro — Sinto um cansaço de após corrida. Você sabe, uma corrida pode ser prevista para um espaço determinado. Isto se chama atletismo. Quando você olha para trás e demarca o espaço que correu, então isto é fuga. Cansa mais.

Lúcia
(com um empurrão gracioso na testa de Pedro) — Engraçadinho!

Pedro — Se você empurrar com mais força, é possível que eu corra tudo de volta, ao revés.
Lúcia — Nem pensar, seu doido.

Fim de tarde com leões

(Barulho de cadeira sendo arrastada. Entra McFarley com mais uma cadeira. Coloca-a à mesa, sem a atenção do casal. Volta para buscar Andrezinho.)

McFarley
(para Andrezinho, como se já estivessem a falar há mais tempo) — ...você sabe, isto de garçom é só um bico, é somente para este inverno. Eu canto, danço e sapateio. Vou me apresentar em casas de *shows* de Amsterdam e Barcelona...

Andrezinho — Já estive em Amsterdã. É aborrecida. Barcelona é podre.
McFarley — Não diga tolices, menino. Essas cidades são o fino. (pausa) Quieto agora. Sente-se ali e não chateie o casal.

(Andrezinho senta-se. Sai McFarley.)

Lúcia — Se você tivesse de voltar em *rewind*, até onde iria?
Pedro — Iria até o ponto em que você tivesse avançado em *forward*, belezinha. Seria uma maneira de empatarmos a idade.
Lúcia — Eu mais velha, você mais novo?
Pedro — Essa é a conta.
Lúcia — Certo. Qual seria a vantagem?
Pedro — Ora, eu conheceria você como você é, e você me conheceria como eu não fui com você.
Lúcia — Só mudaria para mim, então.
Pedro — Pois é. Não acharia excitante conhecer outro homem?
Lúcia — Acho que conheci muitos diferentes e um só igual. Isto me basta.
Pedro — Fico lisonjeado, se entendi a equação.
Lúcia — Peça mais bebida. Logo entenderemos.

(Andrezinho levanta-se, com um muxoxo, afasta-se e galga o praticável I, penetrando pela cortina entreaberta. Cortina abre, lentamente. Andrezinho aproxima-se do leito do Presidente. Enfermeira dorme, ao fundo, na cadeira. Luz atenuada.)

Presidente
(balbuciando) — Há uma gazela no capinzal...

Chove em Ni-Gambo...
Esterco de hipopótamo na lama da ribeira
A gazela está deitada no capinzal
Cego. O facão de mato está cego
O sangue não tem cor...

(*Spot* branco, súbito, sobre Andrezinho.)

Andrezinho
(recitando) — O verbo é o demo...
Mas cada palavra tem sua graça
Elas seguem num barco sem remo
Pelo curso de um rio que a morte traça.

Presidente — Quem chegou? Quem é?
Andrezinho — Quase uma criança, sequer um homem.
Presidente — Diabos! Diabos! Foi um dos que matei?
Andrezinho — Você não teve esta sorte, velho.

(*Spot-off.* Sai Andrezinho. Luz amarela no praticável 1. Praticável 2: *Spot* na mesinha. Pedro e Lúcia juntam as cadeiras e ficam de costas para a plateia, aconchegados. Entra McFarley com mais bebida. Serve.)

McFarley — Está tudo a contento, meus senhores?
Pedro — Com todo o encanto da primavera, Messer Mercúrio.

(Sai McFarley levando a cadeira, em passos lentos. Ao meio do caminho, sai dançando com ela.)
Pedro — Ainda ouve os leões?
Lúcia — Só um ronrronar, distante.
Pedro — Logo irão dormir.

(Luz abrupta no praticável 1. Som: atabaques e tambores. Enfermeira agita-se, junto ao leito. Presidente geme. Logo silencia. Som: tambores, ao

Fim de tarde com leões

máximo. Entram Willow, Inyanga, Nadiedja, os dois militares. À margem do praticável 1, os dois chineses tentam subir, sendo obstados pelos seguranças.)

Inyanga
(tomando o pulso do Presidente) — Foi-se.

Willow
(achegando-se, com relutância) — É certo.

(Willow afasta-se para conferenciar com os militares. Nadiedja enxuga a boca do Presidente, cerra-lhe os olhos. Senta-se ao lado do corpo.)

Militar 1 — Fazemos logo a proclamação?
Willow — Não. Esperemos amanhecer. Ordene prontidão e silêncio de rádio.
(Saem militares, perseguidos pelos chineses, inquiridores. Nadiedja acena aos bastidores. Entram duas negrinhas em trajes étnicos de gala. Cobrem o corpo com a bandeira do Zimbábue. Luz apenas na bandeira. Silêncio. Saem.)

(Praticável 2: *Spot* em Pedro e Lúcia.)

Lúcia
(apontando para um horizonte improvável na direção do praticável 1) — Entardece? Aquilo é um poente?

Pedro — Não, sua desorientada. O poente estaria às nossas costas. E já se foi. É noite.
Lúcia — Mas... há luzes...
Pedro — São as luzes do estádio, por trás do morro. Vai haver jogo.
Lúcia — É bizarro... você ouve?
Pedro — Leões?
Lúcia — Não. Um alarido surdo que vem em ondas.
Pedro — Não ouço.

(Som de multidão, em crescendo. Espoucar de fogos.)

Lúcia — E agora, seu surdo?
Pedro — É o jogo que vai começar. Ou, alguma revolução, quem sabe?

(Pausa longa. Todas as luzes, *off*. Imagens começam a aparecer na tela. A princípio desfocadas, depois nítidas. *Spot* atenuado em Pedro e Lúcia.)

Projeção na tela:

Vê-se a porta de uma danceteria na Lapa, Rio de Janeiro. Chove fino. Surgem Lúcia e Pedro, de saída, rindo, divertidos.
Pedro estaca à porta, testando a chuva nas costas da mão.

Pedro — É chuva fina, mas muito fria. Espere aqui, que vou buscar o carro.
Lúcia — Vou também. É uma chuvinha de nada.
Pedro — Vai pegar gripe, estragar o penteado e os sapatinhos. Eu pego o carro. Está logo ali.

Pedro segue a calçada em direção aos Arcos. No meio do caminho, é seguido pelos dois sujeitos. Eles o alcançam na esquina de um beco escuro.

Sujeito 1 — Alô, Dr. Pedro!

Pedro (virando-se) — Sim?

Sujeito 2 — Acho que o senhor não conhece a gente...
Pedro — Deveria?
Sujeito 1 — É que a gente tem uma encomenda para o senhor. É de um amigo seu...
Pedro — Que amigo?
Sujeito 1 — Seu velho amigo C.A.P.

Pedro tenta escapar dos dois.

Sujeito 1 — Tenha medo, não, doutor. É só uma encomenda.

(O Sujeito 2 aponta uma automática com silenciador e dispara na cabeça de Pedro. Pedro cai, encostado na parede.)

Sujeito 1, (ligando de um celular, enquanto se afasta) — Tá pronto, mas foi um prato só.

(Corte para a saída da danceteria. Lúcia está proseando com um casal que chegou.)

Lúcia — Não, não. Já estamos saindo. Pedro foi buscar o carro, por causa da chuva.

(Corte para rua próxima ao beco. Luzes de farol de um carro que se aproxima. O carro para. Desce C.A.P., que olha para os lados, cauteloso. Vai até o beco e encontra o corpo de Pedro. Cospe e chuta o rosto de Pedro.)

C.A.P. — E aí? Valeu a pena, seu porra?

(Corte para a porta da danceteria. Lúcia vê um carro com farol alto chegando. Pensa que é Pedro. Vislumbra C.A.P. passando em velocidade.)
Plano com o carro seguindo, até o fim da rua. Filme queima no projetor. *Spot* pisca e apaga no praticável 2.